赠：

守住梦想，守住人生的翅膀

守住梦想，守住心上的阳光


不为一朵乌云放弃蓝天

不为一次沉船放弃海洋


荒漠中守住一方绿洲

风暴里守住一片晴朗


守住一句承诺

守住久别的造访


守住一封远方的信

守住爱的目光

方卫平 选评

成长的滋味

最佳

少年文学读本

明天出版社

# 前言

2008年6月，《最佳儿童文学读本（小学卷）》三册由明天出版社出版。不久，其中的《树叶的香味》就进入了"开卷排行榜"，京沪等地的十余家报刊也陆续发表对这套选本的报道、评论和相关专访。让我私下里感到高兴和安慰的是，我从不同渠道获知，许多小读者和他们的父母、老师，都表达了对这套选本的由衷的喜爱和肯定。我得承认，自己的用心工作，能够在读者那里获得一些温暖的回应，对于我这样一个常年以相对寂寞的学院为精神栖居地的儿童文学研究者来说，不能不说是一份十分贴心的回馈和鼓励。

于是，《最佳少年文学读本》的选评工作开始了。事实上，早在进行小学卷的选评工作时，颇富预见性的明天出版社的编辑们就已经约请我选评这套读本。对我来说，这既是小学卷选评工作的自然延伸，同时也是隐藏着某种自我超越企图的一次挑战。我知道，以初中学生和小学中、高年级学生为预设读者，将使选评工作的难度和不确定性都比小学卷的增大了许多。但是，许多时候，这种挑战同时也会构成一个巨大的诱惑，让你不顾一切地一头栽将进去。

《最佳少年文学读本》承继了我在小学卷选评工作时所设定的编选理念、标准和思路，即以我个人二十多年来从事少年儿童文学教学、研究工作的专业积累为基础，以我近年来的相关阅读和思考为基本支撑，收录中外历史上一些优秀的或我个人相当珍爱的少儿文学作品。这些作品触及了关于童年、人生、人性、社会、命运等最基本的价值命题，因而具有相当的思想深度和情感力度。我希望借助这些作品来展现少儿文学的纯真和质朴，幻想和幽默，玄思和深邃，丰富和大气……我也希望这些作品能让大小读者朋友们既享受少儿文学的天真和趣味，也领略其中关于人生、自然、社会、文化的智慧和哲学。

为了与本书所预设的读者对象建立一种可能的、更为默契而开放的阅读联系，我在这次的选评工作中做了两点新的尝试。其一是，除了以公认的少儿文学作品为入选对象外，我还选入了少量并不归属于传统意义上的少儿文学领域，但与童年相关或我个人以为比较适合少年读者阅读的作品或片段。我希望借此来拓展我们的阅读视野，丰富养育我们心灵的文学来源。其二是，"牵手阅读"部分的评析文字，在分析的深度和广度上，都比小学卷略有提升。我希望这些文字对于少年读者们、对于大读者们来说，也能够提供阅读时的一种思路和参考。

最后，我想引用我在小学卷前言中说过的一段话："把最好的儿童文学作品献给读者，为小读者的课外阅读和大读者的闲暇生活提供来自儿童文学领域的文学精品，是我选评这套书时的全部动机和激情所在。我盼望着，这些优秀的儿童文学作品，能够滋润、塑造我们童年的心灵和情感世界，陪伴、感动我们成年后的生命和岁月。"

方卫平

2009年3月17日
于浙江师范大学红楼

# 目录

## 在父与子之间

## 令人震撼的动物故事

## 童话和小说中的想象与奇观

## 幻想能带科学走多远

## 小说里的幽默

# 人生的礼物

据说，太初，世界只是一片混沌。没有人确切地知道生命是如何挣破这片黑暗的混沌，缓慢而又倔犟地生长起来的。或许生命的存在，本来就是一次奇妙的馈赠，它把我们从世界最初的黑暗中带到日月披华、星辰闪耀的人间，并赐予每一个生命以独特的观看、倾听、交流和表达的能力。或许正是因为这样，所以在每一次真诚的交会中，我们也会很自然地把那份早已深植在我们心里和身体里的馈赠之爱，传递给所遇见的每一个生命。

佚名

# 那也是礼物的
# 一部分

故事发生在夏威夷一个偏远的小岛上。男孩杰克正在听老师解释，为什么人们在圣诞节时要互赠礼物。

老师说："礼物表达了我们对耶稣降临的欢迎和我们彼此间的爱。"

圣诞节到了，杰克为老师带来了礼物——一个闪闪发亮的贝壳。在所有被海水冲上岸的贝壳中，大概要数它最美丽了。

老师说："你是在哪里发现这么光洁、斑斓的贝壳的？"

杰克告诉老师，他听老人们说，二十多英里外有个叫做库拉的隐秘的海滩，那儿有时会出现这种贝壳。

老师说："哦，它太美了！我会一辈子珍惜它的，但你不应该为此走那么远的路。"

杰克仍然记得老师讲过的赠送礼物的那一课。他眨着大眼睛认真地说："走路其实也是礼物的一部分。"

## 牵手阅读

　　读一则小故事的好处在于，它让我们有足够的时间回过头去回味字里行间的每一个细节。在这则短小的故事里，我们只读到了两个存在着一定因果关系的小小的场面，但故事最后杰克的那句"走路其实也是礼物的一部分"，却让前面这两个看似平常的画面，一下子发出了亮丽的光芒。整个故事没有雕饰，也没有华丽的铺陈，只是用最简朴的语言来讲述，却让我们在心底感到一种被触动的震颤。小男孩杰克的言行让我们再次明白，"礼物"之所以珍贵，正在于那份与它相连的真诚的情感。

[美国]
A.梅尔休斯 著
沈玮 译

# 船长的勇气

很多年前，在辛辛那提州，我偶然走进一家书店，看到一个小孩在问老板是否有地理书出售。他大约十二岁，眉清目秀，衣衫褴褛。

"多极了。"书店老板说。

"多少钱一本？"

"一美元，我的小家伙。"

"呀，对不起，我不知道书会这么贵！"

他转过身，向门口走去，脚刚要迈出门槛，忽然又转过身，走了回来。

"我口袋里只有六十二美分。"他说，"先生，我赊账，行吗？过几天我就来还清不足的部分。"

小家伙多么渴望能得到一个肯定的回答啊！当老板断然拒绝了他的请求时，他的脸色显得多么沮丧！这失望透了的小家伙，抬起头，苦笑着看了看我，脚步沉重地走出了书店，我跟着也走

了出来。

"你准备怎么办呢？"我问。

"我到别的地方再去试试，先生。"

"我也去，看看你最后是怎么成功的。你不会介意吧？"

"不会。"他惊奇地回答。

我跟着他连续去了四家书店，我们在四家书店都碰了壁。小家伙的脸上布满了失望的阴云。

"你还要试试吗？"我问。

"不错，先生。我要到所有的书店里都去试一试，说不定我能找到一家肯赊账的书店的。"

我们来到了第五家书店。小家伙勇敢地走到书店老板面前，讲明自己的请求。

"你十分需要这本书吗？"老板问。

"是的，先生，十分需要。"

"你为什么如此需要它呢？"

"学习，先生。我没钱上学。一有空，我就在家自学。学校里每个学生都有书，假如我没有，我就会落在他们后头的。再说，我父亲是个水手，我想知道他去过的那些地方。"

"你父亲现在还出海吗？"

"他已经死了。"男孩情绪低沉地回答，头也低下了，眼睛里淌出一串泪珠，"我长大了也要当水手。"

"是吗，孩子？"老板盯着他，惊讶地问。

"嗯，先生，只要我还活着。"

"呃，小家伙，我告诉你我要怎么做。这本新书你只用六十二美分就可以拿走，至于不够的部分，你什么时候来还都行；或者呢，我给你一本旧的，只要五十美分……"

"跟其他书一样，而且不缺页，只是旧了点？"

"对，跟新的一模一样。"

"啊，好极了！这样我还可以剩下十二美分。现在，我倒要庆幸没在别的店里买到这本书了。"

男孩付款时，老板用探询的目光看了看我，于是，我把前面所发生的事情一股脑儿全倒了出来。老板在给男孩书的同时，还送给他一支崭新的铅笔，外加一叠雪白的纸。

"至少，小家伙，你这种不屈不挠、坚韧不拔的精神会使你出名的。"老板最后对男孩说。

"谢谢您，先生，您太好了！"

"你叫什么名字，小伙子？"我问。

"威廉·哈特雷。"

"你还需要什么书吗？"我又问。

"当然，越多越好。"他迟疑地说。

我给他两美元，说："这点钱给你吧。"

两行快乐的眼泪从他的眼睛里扑簌簌地流了下来。

"我可以用这钱给我妈妈买本书吗？"

"当然可以。"

他的眼泪流得更欢了。他说："你真好，我得好好谢谢你。我希望将来有一天能报答你。"他记下了我的名字。

几十年的时间飞快地过去了。

我乘船到欧洲去。这是当时最好的一艘船，它曾经在大西洋远航过。在开始的绝大部分航程里，天气好极了，可是后来，天公不作美，我们遇上了一场罕见的风暴，它足以使任何一位有丰富经验的船长都束手无策。所有的桅杆全断了，船就像是一片在煮沸的锅里上下翻腾的菜叶，更糟糕的是，船还漏了，水不断地从船体上的一个大窟窿里涌出来。水泵一刻不停地转动着，可水仍然越积越多。舵几乎失去了作用。水手们全是体格强壮、意志

坚强的男子汉，大副、二副也都是经验丰富的一流海员，但是他们全都绝望了，离开了岗位，决定听天由命。

　　刚才一直在研究海图的船长，这时神态自若地走了过来，看看事情究竟糟到了什么地步。过了一会儿，他镇定地命令水手们回到自己的岗位上去。在船长坚定的信念面前，那些强壮的水手不由得为之所折服。

　　船长在经过我面前的时候，我问他，船是否还有得救的希望。他仔细地看了看我，说："有希望，先生！只要还有一英寸甲板露在水面上，那就有希望。你要相信，我决不会放弃拯救我的船，除非它不得不沉。我们正采取各种措施来挽救船。"他转过脸去，对所有围在身边的乘客说："乘客们，大家都去排水！"

　　那天，我们多次失望了，然而，在船长的勇气、他那不屈不挠的精神，以及他那坚定的信念的鼓舞下，我们又重新振作起来，比原来干得更猛。"我要带领你们每个人都安全地登上利物浦港，"他说，"只要你们无愧于自己所应尽的责任。"

　　他终于指挥着船安全到达了利物浦港。乘客们下船时，船长一动不动地站在渐渐下沉的船上，频频向乘客们点着头，接受他们的祝贺。当我经过他身边时，他拉住了我的手，问："普莱斯顿法官，您不记得我了？"我想了想，遗憾地摇了摇头。

　　"三十多年前，在辛辛那提州，您曾经跟着一个男孩去买书，他多次碰了壁。这个男孩您还记得起来吗？"

　　"哦，不错，我记得很牢，他的名字叫威廉·哈特雷。"

　　"我就是威廉·哈特雷。"船长说，"上帝保佑您！"

　　"上帝也保佑您，哈特雷船长，"我说，"是您三十多年前买书的勇气拯救了我们全船的人！"

牵手阅读

　　我想，这篇作品所讲述的不仅仅是一个作为叙述者的"我"和威廉·哈特雷之间两次相逢的故事，也不仅仅是关于一个有着坚定的信念和意志的小男孩如何获得成功的故事。它用真实、生动的叙述，向我们揭示了这样一个道理：人世间的事总是由一些看似"偶然"的相遇编织在一起，最后却总是走向那仿佛早已被安排好的结果。当故事中的书店老板和"我"一起帮助小男孩威廉·哈特雷买书时，他们一定没有想到，这种温暖的关怀会变成一种力量，一直延续到几十年后，传递给整整一船遇险的人(包括"我"自己)。人世间的事往往就是如此，一份不经意间送出的善良，会像种子一样在随后的日子里开花，结果，从而美丽整个人间。

成长的滋味

［美国］
保罗·威利厄德 著
赵燕 译

# 理解的礼物

　　我第一次到魏登先生的糖果铺的时候，大概是四岁左右。五十多年过去了，我仍能清晰地记得那个只要花几美分就能买到各种糖果的神奇的糖果世界，甚至还能闻到它的香甜味。每当魏登先生听到门前的小铃发出的叮当声时，他总是悄悄地走出来，站到柜台后面。他那时已是年逾花甲，满头银发了。

　　小时候，我还从未见过这么一大堆美味摆在自己面前。要从中选择一种，着实是件伤脑筋的事。每挑选一种糖，我都要先在脑子里想象一下它是什么味道，决定要不要买，然后再考虑第二种。每次看着魏登先生把糖装进小白纸袋，我心里总得后悔一阵子。也许，另一种糖更好吃吧？或者，更耐吃？这时候，魏登先生总是把你选好的糖果用勺子舀到纸袋里，然后停一停。他虽然不吭声，但每个孩子都晓得，魏登先生扬起眉毛是表示在给你最后一个改变主意的机会。只有当你把钱放到柜台上之后，他才把纸袋口一拧，你的犹豫不决也就随之结束了。

从我们家到有轨电车车站得过两条马路，无论外出，还是回家，我们都得经过糖果铺。有一回，母亲带我从城里回来。（为什么事进城我现在记不得了。）在我们下了电车往家走时，她把我领进了魏登先生的铺子。

"看看有什么好吃的。"她边说边领我走到那长长的玻璃柜台前面，这时，魏登先生也从挂着帘子的门后面走了出来。母亲和他谈了几分钟，而我却望着那些琳琅满目的糖果高兴得发愣。最后，还是母亲替我选了几样，并把钱付给了魏登先生。

母亲每个星期要进城一两次，那个年头儿人们对雇个临时保姆看小孩的事还是闻所未闻的，所以她每次进城总是带上我。母亲领我到糖果铺买糖吃，让我感到了无限的快慰，这已成为我们每次出门的一项惯例。打第一次之后，她总是让我自己挑选糖果。

那时，我对钱为何物一无所知。我只是望着母亲给人一些什么东西，然后对方就给她一个纸包或纸袋。从此，我心里渐渐也有了"交易"的观念。有一次，我竟决定独自穿过那两条漫长的马路，到魏登先生的铺子里去。我至今还记得当我费了九牛二虎之力推开那扇大门时，门铃所发出的叮当声。我像着了迷似的慢慢走向摆满糖果的玻璃柜台。

成长的滋味

这边是散发着薄荷清新芳香的薄荷糖，那边是软糖——颗颗粒大，松软易嚼，上面还撒着亮晶晶的砂糖。另一个盘子里装的是做成小人儿形状的巧克力。后面的盒子里装的是大块硬糖，吃起来能把你的两腮撑得鼓鼓的。还有那些魏登先生用木勺舀起来的发亮的深棕色花生米，脆生生的，一美分两勺。还有长条甘草糖，这种糖很耐吃，当然，你得让它慢慢在嘴里溶化，而不是大口大口地嚼。

那一回，当我挑了很多我自己以为很好吃的糖时，魏登先生俯身问我："买这么多，钱够吗？"

　　"够！"我答道，"我有很多钱。"我把拳头伸出去，把用锡纸包好的五六颗樱桃核放在他手中。

　　魏登先生站在那儿朝自己的手心凝视了片刻，然后又对我打量了很久。

　　"够吗？"我担心地问。

　　他轻轻地叹了口气。"我想，你给得太多了，"他说，"我还有钱找你呢！"他走到那台老式的收款计数器前，拉开抽屉，然后回到柜台边，俯下身，把两美分放在我伸出的手掌上。

母亲知道我去了糖果铺之后，责备我不该一人往外跑。她竟从未想起问问我是用什么买糖吃的，只是告诉我以后再去时，事先要得到她的允许。大概是因为我听了母亲的话，所以以后她每次允许我再去糖果铺时，都给我一两美分，我也记不起有第二次用樱桃核换糖的事了。说实话，这件当时让我觉得微不足道的事情，很快便在我长大成人后繁忙的岁月中被我忘却了。

六七岁时，我们搬了家。我就在那个新的环境中长大，并结婚成家。我们夫妻俩开了一爿(pán)鱼店，专门饲养和出售外来的鱼。这种经营水产品的生意当时才刚刚起步，大部分的鱼是直接从亚洲、非洲和南美洲进口的，所以每对鱼的价格一般都在五美元以上。

一个艳阳天的午后，有个小姑娘由哥哥陪着来到店里。他们俩大概五六岁。我正忙着刷水箱。这俩孩子就站在那儿，眼睛睁得圆圆的，盯着那些在水中游来游去的美丽的鱼儿。"哎呀！"那男孩叫道，"我们能买几条吗？"

成长的滋味

"可以，"我答道，"只要你有钱。"

"有，我们有很多钱呢！"那小女孩信心十足地说。

说来奇怪，她说话的神情，我似曾相识。他们看鱼群看了好一会儿后，便要我给他们拿几对不同品种的鱼。两人一边在水箱之间走来走去，一边把所要的鱼指出来。我把他们选好的鱼用网捞出来，先放在一个小水桶里，然后再装入一个不漏水的袋子里，以便携带，最后将袋子交给那个男孩。

"好好提着。"我提醒他。

他点点头，又转向他妹妹。"你拿钱给他。"他说。我伸出手。当她那握紧的拳头向我伸过来时，我突然间彻悟到这件事会有什么下文，而且就连那个小女孩接下来将会说些什么，我都猜到

了。她张开小手，把手心里的三枚小硬币放在我伸出的手掌上。

顷刻间，我突然想起了魏登先生，感受到他多年前对我的影响和教益是如此巨大。也就在这时，我才明白当时我给那位老人出了个多么棘手的难题，而他却把难题神奇地解决了。望着手里的硬币，我仿佛又回到了他的小铺子里。正如魏登先生多年前所体会到的那样，我深深体会到眼前这两个孩子的天真无邪，也意识到自己有保护或毁坏这种天真的力量。回首往事，我的喉咙哽咽了。那小姑娘带着期待的神情站在我面前。"钱不够吗？"她轻声问。

"多了一点儿，"我竭力抑制着内心的感情，说道，"还有钱要找你呢。"我在装现金的抽屉里摸了一会儿，在她张开的手掌上放上两美分。我站在门口，望着那两个孩子小心翼翼地提着他们的宝贝沿人行道远去了。

当我转身回店时，妻子正站在凳子上，把双臂没入水中，整理箱中的水草。"你可以告诉我这是怎么回事吗？"她问，"你可知道你给了他们多少钱的鱼？"

"大约值三十美元的鱼，"我答道，心里仍然很激动，"可是我没有别的办法。"

于是，我把魏登先生的故事讲给她听。她听后双眼湿润了，从凳子上下来，在我颊上轻轻一吻。

"我还能闻得到那软糖的香味。"我感慨万端地说。当我开始刷最后一个水箱时，我仿佛还能听见魏登先生在我背后的笑声。

**牵手阅读**

　　一个小男孩来到魏登先生的糖果店，给他出了一道"难题"；善良的魏登先生小心地保护了小男孩那天真的快乐和童稚的尊严。当有一天，"我"也不得不面对魏登先生当年所面对的"难题"时，这段几乎已被忘却的童年旧事让"我"在刹那间领悟了那份来自他人的善良而又伟大的理解，并让"我"把这份理解完美地继续了下去。故事叙述上的回环带给了我们一种特别的怀旧感，同时，也构成了情节首尾的自然呼应。故事结束了，但或许故事里的这份"理解的礼物"所产生的影响，从此也会在我们的生活中，一直延续下去。

成长的滋味

# 成长的滋味

成长是一个永不止息的过程，但我们总会在某个日子、某个时刻，忽然清楚地听见它的声音，闻到它的味道，感觉它像风拂过脸颊一样拂过我们的身体。于是，我们就把这些日子、这些时刻，用文字小心地剪裁下来，做成一枚记忆的书签。

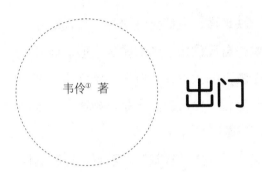

韦伶[1] 著

# 出门

雾真大呀！

下车后，凌子简直看不清方向了。一年前，妈妈带她到温泉公园来的时候，她记得这条公路的左边临着嘉陵江，公路右边的山上有许多拥挤在一起的老木房、老砖房。可是现在，雾把它们全吞没掉了。凌子眼前尽是弥漫着的雾，这雾仿佛要把她吸进一个看不见底的深洞里去。

凌子实在没有料到，今天早上会下这么大的雾。在她为这次旅行作准备的时候，她是这样想象这个星期天的：四月的太阳暖洋洋地照着她的头发，她背着妈妈的小皮包，穿一件橘黄色的毛衣，走在去温泉公园的人流中。这次单独旅行，将使她十五岁的生日过得多有意思！这可是凌子有生以来第一次独自出门哪！

可是，碰到了雾。

也许是因为靠着江边的缘故，所以雾是那样大。才走出十步

①韦伶，女，生于1963年，儿童文学作家。

远，温泉车站的站牌就看不清了。凌子头发上、睫毛上，全都被蒙上了一层雾气。

她心里有些发慌。这茫茫的一片，往哪里走才能踏上通往公园的那条小道呢？

凌子紧盯着脚下的那一块地面，只能辨认出一个模模糊糊、灰白灰白的大半圆。凌子觉得自己仿佛梦游在雾里一般。前方朦朦胧胧的，似乎移动着一个灰色的人影儿。凌子小跑几步，辨认出那是个男的，细高个儿，穿着一件风衣。于是，她像有了依靠似的朝那个人影儿奔过去，叫道："叔叔！"

那人没有理睬，凌子又叫了一声"叔叔"。哎呀，这哪是什么"叔叔"啊！转过来的那张脸庞是那样年轻，年轻得顶多只能把他唤做"小哥哥"。凌子为自己的误会感到害羞，那人仿佛更害羞，甚至有些脸红了。凌子问他："去温泉公园，怎么走？"那人回答："走……那儿！我也去。"

他用手指比画了一下，自己先朝前走去。凌子紧跟着他，心里有些埋怨这个"小哥哥"："为什么不等着我呢？走那么快干吗？"

真怪！等他们到了公园门口，雾也散了。雾一散，太阳就钻出来了。一下子，不知从哪些地方，突然冒出了一伙老老少少的游客，那气氛就像乡下赶集似的。凌子夹在他们中间，走进了公园。她本来以为，别人会为她一个人出来旅游感到惊讶的，可是看样子，游客们谁也没有特别注意过她。

到温泉公园，最有意思的事情就是游泳喽。这温泉游泳池里的水是从山上流下来的暖泉水，就是四月天脱了衣服跳进水里，人也不会感到寒冷。

凌子来到游泳池边上，看到那里已经有了不少人。大家都不愿放过在这个好天气里到温泉游泳池游泳的好机会。凌子来到更衣室，从皮包里取出自带的游泳衣。这件泳衣凌子一向穿着很合

身，颜色也好看，是深红色的。可是今天，凌子换上这件泳衣后却感到有些别扭。她的眼睛在更衣室里搜寻着，最后在对面的墙上找到一面很新的大镜子。

凌子朝镜子走去，心一下子狂跳起来。镜子里的那个姑娘就是她吗？那纯粹是个姑娘，而不是个女娃娃！那样的身段，只有在一个发育成熟了的姑娘身上才看得见，而且，由于凌子穿的这件泳衣非常贴身，所以现在那些线条显露得多明显呀！凌子的两个脚指头在冰凉的地面上紧张地弯了起来。她脑子里很快闪出"十五岁"这个词。是呀，凌子今年已经满十五岁了！十五岁，哪能还像个娃娃样呢？

凌子忽然感到一阵害羞，这害羞里还夹着一些兴奋和一丝慌

乱。她迟疑地走到更衣室门口，把泳衣轻轻地扯了扯。这件衣服是不是小了点儿？是的，太小了！凌子站在门边犹豫着，可是，游泳池里一片划水声、打闹声，到底还是把她"引诱"了出去。

凌子低着头跑出更衣室，仿佛怕冷似的跑到池边，然后扑通一声，跳了下去。

哟，这里的水真深哪！凌子跳入了深水区。深水区里，水是深绿色的，绿中带蓝，深得看不清池底儿。凌子觉得，深水区要比绿中泛出土黄色池底儿的浅水区够味儿得多！她仰过身来，两条腿轻轻拍打着水面，像条小鱼一样向前游去。这种游法，能让她很自然地仰望晴朗的天空。她让太阳尽情地照在她的脸上、腿上、手臂上，照在她变化着的身体上。不错，那两条腿不再显得那么干干瘦瘦的了，而是圆鼓鼓的，很有劲儿。凌子开始变换着姿势在深水区里这样游一会儿，那样游一会儿。她其实是有意让那边几个哇哇叫着的得意扬扬的小伙子们看看，她也能在深水区里来去自如。

一个穿着绿色泳衣、套着游泳圈的十来岁的小女孩和她的爸爸，游到凌子身边来了。那爸爸真笨！打水哪里是这种教法呢？凌子向他们游过去。"别紧张，"她说，"腿放松些，沉不了的！"小女孩很听话，丢开爸爸，跟在凌子身后。小家伙这样信任凌子，凌子心里不禁涌起一种甜甜的、从未有过的喜悦。她对小女孩说："你进步真快呀！"

一红一绿两件鲜艳的泳衣，还有小女孩因为进步受到表扬而发出的欢笑声，引得池里的人们不时朝凌子她们望一眼。凌子感到深水区里有个小伙子特别注意她们。她仔细一打量，原来是雾里遇到的那个"叔叔"！哈！"叔叔"待在水里，瘦得和一根条儿似的，一副可怜巴巴的样子。凌子游过他身边时，笑嘻嘻地喊了一句："谢谢你，刚才！"瞧，那"叔叔"脸又红了，真好玩儿！

泡在池子里，一转眼，两个小时就过去了。凌子走出更衣室，把头发梳得直直的，披在背后。下一步，该到南边山坡上看梅花鹿了。一个人自由自在地按着自己的计划去做，心里是多么愉快！

梅花鹿，迷人的梅花鹿。凌子对这种动物，有一种特别的兴趣。一年前，凌子看过一场小型舞剧《金色的小鹿》。舞台上，舞蹈演员出色的表演，使凌子对这种神秘、优雅的动物产生了许多美丽的幻想。她还写过一篇童话《小花鹿》。故事里，凌子解释了梅花鹿为什么会长有花斑、鹿角。当然，她的解释——包括对梅花鹿的生长环境、生活习性等方面的描写——全是躺在床上冥思苦想出来的。没想到，这篇习作被语文老师发现后，居然引起了校语文教研室的轰动，几位老师分别在自己任课的班级里对它作了介绍。从此，凌子扬名全校，并有了个引人注目的绰号："小鹿儿"。

凌子走到南山坡上圈着鹿群的围墙外，隔着砖墙，出神地观看着那群迷人的动物。它们或者站着，或者跪着，每一个姿态、每一组造型都是那样得体、优美，仿佛是最能理解画家创作意图的模特儿一样。它们大多数时间都沉默着，不时地用嘴吻吻草地，或者不慌不忙地踱几步。有时，它们也扭过头来"窃窃私语"一阵，说着人永远也听不懂的鹿的语言。

"咦，这些大鹿里面，怎么还有没长角的呢？"凌子自言自语，又仿佛在询问身边的游客。

"那……那没长角的，是母鹿啊！"一个男中音回答道。这声音有些耳熟，她吃了一惊，扭过头去，只看到一件风衣，一闪就消失在人群中了。

"是他，'叔叔'！"凌子想起了那个人。真巧，怎么又碰上了？他刚才说什么？母鹿？母鹿没有角？凌子可是在她童话的

结尾处，让所有的鹿——不管公的，还是母的——都长出了一对桂冠似的鹿角的。

凌子就是这样一个人，她容不得自己栽种的花上落一只苍蝇。她不能等待，所以先前计划好了的许多娱乐项目，比如划船啊，溜冰啊什么的，一下子全被一个念头赶走了：回去，回家去，把那篇童话重新写一遍，然后把里面的常识错误告诉老师。天哪，他们怎么把它拿到这么多班级去念了！

凌子急匆匆地向公园门口走去，走了一半，又折了回来，找到梅花鹿的饲养员，详细地向他了解了有关梅花鹿的知识。临走前，她还从饲养员那本厚厚的书中，抄录了一大段对梅花鹿生活习性的介绍。

好了，凌子现在才真的对梅花鹿有一点正确的认识了。这些新发现使凌子很激动，这一次，一定要让老师在她的作文中闻到真正的鹿的气味！凌子站在温泉公园车站的站牌下，兴奋地想着。

回家的车老不来。也许，司机没想到，在太阳刚刚升到头顶的时候，还会有人傻乎乎地离开温泉，急急忙忙地往回跑吧。你看，这么久了，车站上依然只站着凌子一个人。

好像那边还有一个人。那边，远远的，有个蹲在地上的人，慢慢地站起来，朝凌子这边走了过来，似乎要同凌子打招呼。

是他，又是他，"叔叔"！他也这么早就离开吗？

凌子迎着他笑笑："回家吗？"

那人并不回答，只是一直朝凌子走过来。凌子纳闷了，而且忽然害怕起来。他怎么了？他的眼睛怎么那样地看人？不知为什么，凌子忽然想往一边躲。

可他一步跨了过来，离凌子那么近地站着，一动不动，一直望着她。

凌子害怕极了，害怕那人的眼光，害怕那两条黑黑的、颤动着的眉毛。"你，回家吗？"她又机械地重复了一句，想对他挤出一个笑脸来。可她听见自己的声音在慌乱中发抖。

忽然，凌子似乎预感到那人要做什么可怕的动作了。啊，他伸出手来，捉住了凌子的两条手臂！凌子惊恐地失声尖叫起来："干什么！你干什么！"

那人仍然不说话，他只是用力地捏着凌子的手臂，眼睛一点也不躲避地直视着凌子。

凌子感到手臂被捏得疼痛起来，她感到又委屈又愤怒，颤抖着说不出话来，好一会儿，她才哭着一边挣扎，一边狠狠地朝着那人大骂："走开！走开！流氓！浑蛋！"她跺着脚，打算那人再不松手，就用牙咬。

那人忽然放开凌子，朝后退去。凌子惊异地发现，那人一副仿佛也要哭出来的样子，他的眼里好像也闪着委屈、愤怒和惊慌失措的光芒。他仍然目不转睛地盯着凌子，用带点鼻音的男中音奇怪地嘀咕着："你……你说……"

忽然，他低下头，像罪人一样站在凌子面前，然后猛地从风衣里抓出一张纸条，塞给凌子，然后忽地转过身子，朝着温泉公园旁边那条山道拼命跑去。

凌子茫然地展开纸条，上面的字写得很漂亮：

凌子：

我是高三（四）班的。我看过你的童话，很喜欢。如果你愿意，我想做你的朋友，和你一起讨论童话。

我也喜欢鹿，喜欢所有的动物，我同你一样爱幻想。也许你不知道，我没有兄弟姐妹，我是一个孤儿。

另外，请不要生气，你的作文里有一个错误——据我了解，母鹿是没有角的。

无论如何，请一定给我答复。你不会怀疑我是"坏学生"吧？

　　没有留下姓名，那张纸条折得很好，但看样子应该是在口袋里揣过一段时间了。凌子读完，下意识地把那张纸条折过来折过去。她觉得现在大脑迟钝极了，完全是一片空白。刚才发生的这一切，像闪电一样，来得快，消失得也快，让她在毫无准备中张皇失措。

　　高三(四)班的？不，没有什么印象。可他提到了那篇童话！那么说，这个人真是凌子学校的同学啰。坐在车上，凌子无心观看窗外的景致，脑子里乱七八糟的。她想好好思考一下，可一下子，又想不好。

　　她手里依然摆弄着那张纸条。

　　这个人把一切都搞乱了。本来，今天一切都很好的：乘车出来——教小女孩游泳——看梅花鹿……她对自己独自出门所经历的这一切是满意的。可是，忽然钻出个他！想一想，假如他是一个真正的坏人，那今天会怎样呢？多么可怕呀！现在想想，他倒也不像个坏蛋，那他是……天哪，他还要凌子答复他！怎么答复？他是那样可怜，那么瘦，还是个孤儿。纸条里他还说："请不要生气，你的作文里有一个错误……"他是认真读了那篇童话的，而且第一个指出了它的错误。那么回校后，见了他该说些什么呢？

　　窗外，一棵棵刚冒出新叶的树闪过去了。盘山公路下，嘉陵江水让太阳照得闪烁着明晃晃的光。

　　凌子看了看自己的手臂。从来没有哪个男孩子，这样使劲儿地捏过她。这件事，该不该告诉妈妈？不！要是告诉她了，凌子也许再也没有机会单独出门了。也许等她都长到二十岁了，还得让妈妈牵着手过马路呢。可是不告诉妈妈，许多事情凌子又拿不准该怎么办。谁能料到以后出门时，她还会遇到些什么麻烦事呢？

凌子望着窗外，恍恍惚惚的。她下了车，脑子里依然矛盾着。告诉妈妈？不告诉？不，该怎么告诉呢？

她就这样犹豫着，推开了自家的门。

## 牵手阅读

这是对一个女孩刚刚踏上青春的道路时的心情写照：有点自信，有点迷茫，有点兴奋，还有一点点自恋。第一次在泳池更衣室的镜子里看到正在长大的自己时，"凌子的两个脚指头在冰凉的地面上紧张地弯了起来"。这一细节描写把凌子心里翻腾着的那种复杂的成长的感觉，十分到位地传达了出来。作品中"雾"这一意象，既是一种实景，也是一种隐喻，它象征着女孩凌子青春期的某种朦胧和迷茫。小说中不少地方用了近乎意识流的手法来表现凌子的各种感受，从而把我们直接带进了凌子的精神世界中。整部小说写的虽然是女孩凌子的一天，却仿佛为我们展开了每个女孩都曾经经历过的那段迷茫的岁月；而在小说末尾，作者也把这段迷茫岁月的续章，交给了好奇的读者去想象。

成长的滋味

管家琪[1] 著

# 珍珠奶茶的诱惑

这个暑假，他迷上了珍珠奶茶。

说实话，以前他一直觉得珍珠奶茶的样子挺蠢的，真不知道是哪一个天才想的点子，居然把粉圆和泡沫红茶搅和在一起，还加上一根那么滑稽的超大吸管。妹妹刚迷上珍珠奶茶的时候，他还挺嗤之以鼻的呢。

那家小铺子就开在他家所在的小巷的巷口，是洗衣店老板娘的副业，里头并没有让客人坐的地方，客人都是买了奶茶然后带走。小铺子刚开张的时候，他并没有特别在意过它，只感觉生意好像还不错，每次他补习完回来，都能见到铺子前围满了人，胖胖的老板娘总是双手捧着容器，费力地摇晃着。

每一杯珍珠奶茶都是靠这样摇出来的，真是辛苦。当时，他只这么想，对那位挥汗如雨的老板娘颇有些同情。

他还想，也许她可以趁机减肥。不过，大概只减到手臂，哈哈！

---

①管家琪，女，生于1960年，台湾儿童文学作家。

　　过了半个月，情况完全不一样了。铺子里面站了一个妙龄女郎，老板娘又回到洗衣店的柜台后面去忙了。那个女孩年纪蛮轻，绝不超过二十五，脸蛋很漂亮，肌肉看来很紧实。皮肤有些黑，又不是太黑，长发随意地扎成马尾，前额有一撮头发是咖啡色的，铁定是染的。

　　其实，这些细节都是他稍后才观察到的。第一眼，他只看到她的上半身很壮，尤其是在摇珍珠奶茶的时候，乖乖，那真是惊心动魄！

　　那天吃晚餐的时候，他假装不经意地问妹妹："哎，你有没有注意过那家新开的珍珠奶茶店里多了一个女孩子？"妹妹是家里的"包打听"，几乎什么事情她都知道。

　　果然，妹妹说："你是说那家洗衣店门口的珍珠奶茶店？她是老板娘的妹妹啦。"

　　"老板娘的妹妹？奇怪，你怎么知道？"

　　妹妹白了他一眼："当然是靠问的嘛，真笨！老板娘自己忙不过来，做珍珠奶茶又很累，所以就找她妹妹来帮忙。"

　　接下来的几天，每次经过小铺子，他总要往里多看两眼。他忍不住会瞄一眼她的上半身，但是立刻又为自己的这一"邪恶"举动羞红了脸。

　　有一天晚上，他补习完又和同学去买书，回来的时候有点晚了，在经过小铺子时，意外地发现没有客人，她则在整理东西。会不会就要打烊了？

　　也不知道哪里来的勇气，他马上跑上前去。

　　"要喝点什么？"她柔声问道，声音很好听。

　　"珍珠奶茶。"他简直是条件反射似的回答。

　　"普通杯，还是特大杯？"

　　"呃……特大杯！"

她熟练地把材料加进容器里，开始摇了。他死盯住她的眼睛，生怕管不住自己的视线，会不小心往下瞄。

似乎感觉到他在看她，她朝他浅浅地笑了一下。他立刻又像做错事似的低下头，看自己的鞋尖。嗯，球鞋真该洗了。

因为怕被妹妹讥笑，所以他在进家门前就赶快稀里呼噜地把那一大杯珍珠奶茶给喝光了，害他差点吃不下妈妈为他准备的夜宵。

这天晚上，他梦见她变成了兔女郎，穿着非常性感的衣服，用非常性感的声音问他："要喝点什么？"

他看着她的低胸兔装，简直不能言语，也不能呼吸。

"我……我……"他结结巴巴地说，"我要……我要……哎呀！"

第二天早上，真是惨透了！趁着天还没全亮，他像小偷似的偷偷摸摸地洗床单。他的动作飞快，生怕万一被妹妹看到了，会打破沙锅问到底，问他干吗一大清早洗床单。被妈妈看到也不行。万一妈妈问起来，他该怎么回答呢？

不过，惨归惨，说来奇怪，他的心里甚至有了一种骄傲的感觉。尽管他还不够高，不够壮，肩膀不够宽，胡子也不够多，但是，他不再是小孩子了。他长大了。

打这以后，他几乎天天都会去买一杯珍珠奶茶，愈喝愈觉得珍珠奶茶的味道很特别，的确蛮好喝的。知道他迷上珍珠奶茶，妹妹还笑他："早跟你说好喝你还不信，男生就是反应迟钝！"

不过，他还不大敢跟那个女孩攀谈，怕她觉得自己是无聊男子。有一次，苦思多时，他终于想出一个问题。

"请问你，一杯珍珠奶茶要摇几下？"话一出口，他就后悔了。

好无聊的问题呀！真不如不问。

没想到，她倒挺一本正经地回答："至少要三十下，很累人的。"其实，他知道很累，因为她的额头上常有细细的汗珠。可

是，同样是汗，在老板娘脸上让人觉得狼狈，在她脸上可就多了几分的……性感！哎，真不知道是怎么回事。

有时，他还暗想，要是到了冬天，她不卖珍珠奶茶了，该怎么办呢……

没想到，他真是多虑了。

一夜之间，小铺子和洗衣店又通通归老板娘一个人负责了，只是她买了一台怪异的机器，现在是用机器来摇珍珠奶茶了。

她呢？梦中的兔女郎到哪里去了？

　　"不做了，回南部去了，说每天摇珍珠奶茶，手臂都变粗了，不好看哩。"妹妹说。

　　回南部？昨天他买珍珠奶茶的时候，为什么她没告诉他？

　　为什么要告诉他呢？他随即自暴自弃地在心里嘀咕："我又不是她的谁！"

　　他有一种受伤的感觉，尽管他很清楚这种感觉完全是不理性的。他默默地告诉自己："以后我再也不要喝珍珠奶茶了。"

## 牵手阅读

　　青春期的男孩在一个夏天，经历了一段属于青春期的朦胧情感。或许它还称不上是一段情感，那只是一种与成长中的身体有关的青春感觉的萌动吧。作家以男孩的视角，用很真实也很真诚的笔墨，写下了这个发生在夏天里的青春故事。故事里那个摇珍珠奶茶的女孩走了，奶茶在男孩的心里，也变成了永远的记忆。小说的结尾弥漫着一股淡淡的惆怅，我想，这也是成长的一种滋味吧。

伍美珍① 著

# 云烟

[灵感歌词]

切莫走近，让它是云烟。到我的梦里来，到你的梦里去。我爱过的人，爱过我的人，让他永远是云烟，永远是少年，永远永远是梦幻⋯⋯

——黄磊《云烟》

## 一

妈妈问我："十八岁生日打算怎么过？"

童年时过生日，都过得千篇一律——穿着带花边的白裙子，打扮得像个小公主，小孩子们围成一圈，像是演员，当然，其中的女主角就是穿白裙子的公主啦。大人们则夹杂在一张张粉嫩的小脸中间，和小朋友一起拍手唱"HAPPY BIRTHDAY"，虽然摇头

---

①伍美珍，女，生于1966年，儿童文学作家。

晃脑的，但眼睛里明显还残留着白天工作的疲倦。

至今，还会有人会偶尔向我提起我们小时候的生日聚会，因为那时有灰子、小朋、阿彬和小D，他们总是在吃完蛋糕之后，带我们做一些稀奇古怪的游戏，令长大以后的我们，难以忘怀。

妈妈一直是高中部的班主任，从高一到高三，学生走了一茬又一茬。她经常说，自己像个艄公，送走一批，再回来渡第二批……依次往返……

爸爸说，顶多算个"艄婆"而已。

妈妈就笑笑，继续写她的教案。爸爸也笑笑，也继续写他的教案。爸爸虽然不是班主任，却年年要代高三的数学课，他教的班级，高考数学成绩总是在全市拿前三名。

妈妈总是提起灰子、小朋、阿彬和小D，他们四个，曾是她最满意的学生。1998届的高中班，也是妈妈最满意的班级，因为这个班里有灰子、小朋、阿彬和小D。

1998年，灰子考了全省文科状元，照片都上了报纸，为此还有记者前来采访妈妈。小朋、阿彬和小D也分别上了名牌大学。

妈妈一说起他们来，就眉飞色舞，不能自已。

我在十岁时认识了灰子、小朋、阿彬和小D。妈妈让我喊他们"哥哥"，但我只喊了几次就改口直呼其名。

爸爸妈妈安静淡泊的性格，使得家里的气氛总是显得很寂寥，所以我喜欢他们四个人来我家的每一时刻，他们经常和爸爸讨论数学难题，帮妈妈做一些家务活——当然，带我玩也算是其中主要的一项。

妈妈总是拿他们来给我树立榜样，我吐吐舌头，告诉妈妈，灰子很呆，阿彬很傻，小D很脏，小朋呢……嗯……

幸好妈妈没注意听完我的话，就转身去看她的书了。

小朋他既不呆，也不傻，更不脏，我最喜欢的是小朋——他最聪明，最细心，最有趣，也最干净，不像小D，指甲缝里都是脏灰！

从十岁到十二岁，我都记得每个生日聚会的很多细节。

最难忘的是十岁的生日。

说好生日聚会定在晚上，但吃过午饭，阿彬和小D就跑来找我，他们骑着单车，我坐在阿彬车后，他们这是要带我去"好利来"买蛋糕。在那儿，我挑了个有熊猫图案和用巧克力做成的栅栏图案的大蛋糕，然后，我看到了玻璃柜台里的那些诱人的冰粥。好看的纸碗里，堆着透明的冰沙，头戴蛋糕帽的"好利来小姐"，从冰柜里各挖一点菠萝丁、西瓜丁、木瓜丁、桑葚、绿豆、红豆，堆放在冰沙上面，然后，一碗五颜六色的冰粥就做好了，它看起来甜蜜、透明、冰凉。

阿彬替我买了碗冰粥，叫小D去付账。小D说他没钱，于是阿彬就骂小D骗人。小D又说："你手里不是还有买蛋糕的余钱吗？"阿彬说："你这个浑蛋！这钱是我的吗？"于是，小D就乖乖地去付了钱。

我一边伸出舌头舔着冰粥里的桑葚，一边问他们："小朋和灰子怎么不来和我们一起吃冰粥？"如果小朋在，一定是他付钱，而且，他决不会和其他人计较。

"他们一会儿就来。"阿彬告诉我。

我一边甩着腿，一边用塑料小勺无聊地挖起一块冰沙，这时，耳旁响起一个熟悉的声音："宝儿今天好漂亮！"

我兴奋地抬头，急急巴巴地问："小朋你跑到哪里去了呀？"

小D说："小朋看上了隔壁班的女孩，刚才是去追女孩了。"我听得有些发呆，阿彬打小D，叫他别乱说，还说什么荼毒小孩子的纯洁心灵……

我则用塑料小勺挖着纸碗里的冰沙，眼前渐渐有雾出现了……

那时，我只是伤心。在小朋的心目中，怎么会有其他的女生比过生日的我还要重要呢？

小朋看着我笑，笑容溶到了我的心里去。

"来，小朋哥哥带你去一个好地方！"小朋拉起我的小手，他的手又大又温暖，我心里的委屈也一扫而光了。

四个人都骑着单车，为了让"寿星"坐自己的车，他们争了起来。我倚靠在小朋的怀里，看着小D、阿彬和灰子斗嘴，小朋则不参与，他摸摸我的头发，俯下身来，悄声对我说："宝儿，我们闪！"

于是，我爬上小朋的车后座，他带着我飞驰而去。

我清脆的笑声，洒满了一路。

## 二

十岁生日那天，我真的找到了做公主的感觉。

因为，小朋为我装饰了一张彩色的床。

小朋载我回到家后，我看到爸爸和妈妈眼里都闪着神秘的光，这是不多见的。小朋说："宝儿，你把眼睛闭上，我带你去一个神奇的地方。"

我闭上眼睛，任由小朋拉着我的手一直向前走，然后右转弯，然后左转弯，然后右转弯，然后……我转昏了头，却觉得很有趣，咯咯地疯笑起来。

小朋终于说："可以睁眼睛了。"

我睁开眼睛，看到我的小床，枕头上摆着一个很大的泰迪熊，是新的，散发出新鲜的气息。那时的我喜欢一切新的东西。

　　我扑到泰迪熊身上，抱着它在床上打了个滚，然后仰着头，我愣住了。只见小床的上方，连着一条又一条的皱纹纸彩条，五彩缤纷，美不胜收！

　　我再次翻身趴倒在床上，笑得喘不过气来……

　　走在初夏树荫覆盖的马路上，我缓缓地回忆着过往的时光，恍若梦境。

　　十一岁那年的生日过得最为悲惨和可笑。

　　依然是对着生日蜡烛许愿，然后吃蛋糕，喝冰可乐，咪咪地

乱笑。记得烛光下，有好几个女同学的面孔，她们十分热心地参加我的生日聚会，而且在生日聚会上疯癫不已，现在想来，是因为有小朋、灰子、阿彬和小D的缘故。那天，爸爸和妈妈都没到场，他们在给毕业班补课，我的生日是在六月六日，正是高考的前一个月。

就在那天晚上，我来了初潮，但却浑然不觉，当我起身去开冰箱的门拿冰可乐的时候，细心的小朋看到我那被染红的裙子，他走上前来，小声对我说："宝儿，快去换裙子，你的裙子脏了。"

然后，他把我推到卧室里，没有人注意到我们，他们都在起哄，叫阿彬唱歌，阿彬果然就唱了，阿彬唱歌听起来很像是在念歌词。

进了房间，我顺着小朋的目光扭头一看，看到裙子后面一片血渍，不禁吓了一大跳。片刻之后，我就明白自己身上发生了什么。

我不由得看了小朋一眼，他的脸红红的。

"嗯……宝儿……你……需不需要……那个……"小朋吞吞吐吐地问我。

"要。"我低头，不敢再看他一眼，很小声地说。

"那我现在就去买，你先换衣服。"小朋说完就跑了出去，门也被他从外面小心地带上了。

我还没从震惊中缓过神来，只是坐在椅子上，听着客厅里传来的一阵阵喧哗声，兀自发呆。

小朋很快就回来了，他轻轻敲开我的门，从门外递过来一个深色的方便袋，我刚接过袋子，他就一缩手，门又被他带上了，咣的一声，这声音重重地砸在我的心上。

我对着镜子，看到自己的眼睛红红的，一种从未有过的孤独感涌了上来……

这种孤独的感觉，一直延续到生日晚会的后半场还没消退。

当我换过裙子再出去时，灰子奇怪地问我："宝儿，你刚才去哪儿了？"

我笑笑，没做声。

"宝儿，你不舒服吗？"阿彬问我。

"没有啦。"我有气无力地说。

"还说没有？连说话都没力气了，你一定累了。我们结束吧。"阿彬说。

我听了，看看小朋，他却躲避着我的目光。

我心里好难过。小朋他怎么突然就变了？

# 三

成长的滋味

十二岁生日的前一天，妈妈给我五十元钱，说："乖，去找同学玩吧。"

小朋他们就要高考了，妈妈代他们班的语文课，爸爸代他们班的数学课，校长说，这个班是高中部有史以来最具实力的文科班。

妈妈因此觉得压力更加巨大。

我找同学去麦当劳，我们吃着炸薯条和苹果派，很八卦地把同学和老师编派来编派去。没有生日蛋糕，没有小朋、灰子、阿彬和小D。

这不像是一个生日聚会，更像是一次很平常的小型聚餐会。

兔子神情诡异地告诉我，她星期天看到小朋和一个女生手拉手地在逛一个叫"纪念日"的店铺。她说，小朋的女朋友无论是长相还是气质都绝对堪称一流。

我面无表情。

小朋的绯闻，我早已有所耳闻。妈妈曾把小朋叫到家中训斥，骂他是"猪头三"，竟敢在高考之前谈恋爱。小朋辩解说，他们并没有谈恋爱，当时，我正从厨房走出，看都懒得看他一眼，径直走进我自己的房间，咣的一声，带上了房门。

十二岁生日前的那个晚上，就是这个声音，成了我和小朋之间的关系的一道分水岭——从那天开始，我和小朋两人之间变得客气而冷漠。

听说，那个女生是理科班的班花，成绩也是一流的。

十二岁的生日，过得猥琐不堪。

回到家，倒头便睡，第二天被闹铃喊醒，一眼就看到桌上摆着一块玉质的巨蟹挂件，我欣喜地把它按在手心中，冰凉的气息，令我想到两年前那碗"好利来"的冰晶透亮的冰粥，还有，那一路上洒下的欢笑……

奇怪的是：妈妈怎么知道我是巨蟹星座！

中午匆匆见到妈妈一面，她看到我挂在胸前的那块巨蟹挂件，才像猛然想起来似的，说："这是小朋送你的生日礼物。"

"啊？我还以为是妈妈买的呢。"

我大感意外。

"妈妈哪会买这样古怪的礼物？一只螃蟹？喊——"我妈微笑着说。

那天晚上，月光如水，我坐在窗边，看着外面月光下摇晃的树影，想了很多很多往事，然后又流了很多眼泪。

"巨蟹"静静地在桌子上看着我哭。

我是敏感又多情的巨蟹座。

但我一直到现在还坚信，当时的我并没有萌发爱情细胞，我只是不喜欢小朋突然就和我变得不亲密了。

我喜欢和他亲密地在一起玩耍和相处。

可是终究我会哭泣，因为没有任何一种关系能够恒久不变，没有任何一个人会永远永远属于你……

# 四

小朋上大学前，带着女朋友来我家了。

她果然美丽，并且可人。

他们一同考上复旦，小朋学国际关系，她学生物工程。他们和爸爸妈妈一起聊天，我则安静地坐在一旁，间或给他们倒水。

她说，家中有美国的亲戚，等她和小朋都考过托福就一起出国。

小朋突然看着我，对妈妈说："宝儿性格变了不少。"

我猝不及防，没想到他们说话的矛头一下子就指向了我。

妈妈拍着手说："宝儿这两年见风就长。还记得三年前吗？她个子才一米三几，整天偎依在你怀中，你给她装饰了张带彩条的床，就把她乐成那样……"

"咳咳——"

爸爸在一旁咳嗽，打断妈妈的话。

不合时宜的话题，我看到每个人都不自在，包括小朋的女朋友。她其实是这当中的陌生人，我们的过去，没有她的影子。

为什么会变成这样？

我问自己。

总归是"王小二过年——一年不如一年"！

不久后，我上高中了。与他们四人同时通信，刚开始时大家联络还比较频繁，不久后就少了，因为大家都在忙。

最忙的是小朋，他前后只给我写过三封信。

阿彬有所不同，他每次给我回信都很及时。收不到我的信，他就会写一封新的过来，我高兴时就回复他，不高兴时就看完一丢。渐渐地，阿彬也不再写信来了。

第一年的寒假，灰子、阿彬和小D一起来我家，我妈高兴得一塌糊涂。我刚剪了很短的头发，像个男生，叉着腿坐在凳子上，哈哈地大笑，大声地喧哗。

妈妈说，只可惜还缺一个小朋。

"他呀，忙着陪女朋友，哪会记得我们！"阿彬愤愤不平地说。

我闭上了嘴巴，耳朵却慢慢地竖了起来。

"紧张啊！万一回来了，女朋友在学校被别人抢走了，他出国靠谁呢？"灰子竟用不屑的口气说着小朋。

"啊？这是怎么说的？"妈妈紧张起来。

我也瞪大了眼睛看着阿彬。

阿彬说："小朋追她，完全是因为她的家庭。她家不但有亲戚在美国，而且据说外交部的一个要员也和她爷爷关系很好。小朋不是一直想当外交官吗？"

"哎，什么乱七八糟的，别乱说！"

妈妈皱皱眉。

"阿彬没乱说，都是真的。"小D说。

他们走了以后，妈妈对爸爸说，他们或许是嫉妒小朋，才那样说他的吧。爸爸摇着脑袋，叹口气，说："现在的孩子，不知道头脑里装了些什么东西。"

我上高二那年，听说小朋如愿去了美国。

再后来，妈妈又送走一届学生，我也考上了本地的一所大学，读新闻系。我不习惯住在有很多人的学生寝室，每天都回家住，感觉还跟读高中时差不多，只是比高中时清闲、自由很多。

成长的滋味

# 五

十八岁这天，我只想一个人度过。当我慢慢地走过这个城市的一条又一条街道时，发现自己虽然在这里生活了整整十八年，但是居然到处都是我从未去过的地方。

路过"纪念日"，我不由得走了进去，看见玻璃柜台里摆着许多星座玉石，找了半天，才找到巨蟹座的，但和我脖子上挂的那块不一样，从颜色到造型都有所不同。

不知为何，我松了一口气。

快要出店门的时候，我才注意到店里播放的背景音乐很好听，那个男生轻如呼吸般的声线听起来也好熟悉：

切莫走近，让它是云烟。到我的梦里来，到你的梦里去。我爱过的人，爱过我的人，让他永远是云烟，永远是少年，永远永远是梦幻……

"这是谁唱的？"我发痴地听了一会儿，然后问站在柜台前的导购小姐。

"黄磊哦！老歌了。不过我们都爱听他的老歌。"

看起来和我一般大的导购员，脱口而出。

我的脸微微有些发红，快步走出了店门。不是我听不出黄磊的声音来，而是这个声音像极了一个人的声音……

我叹了口气，告诉自己：从这天起，要成为一个真正的大人，要独立起来，不再被回忆所击倒。

回到家里，已是黄昏，家中依然无人。

掏出钥匙打开门，我慢慢地换了鞋，当走过客厅时，多年前的笑声和喧哗声依稀在很遥远的地方响了起来，如梦，如烟……我对着那个曾经热闹过的空间微笑着，然后走进了自己的房间。

关上门，仿佛把门外的喧哗声堵在了外面。靠着门，闭上眼睛，仿佛又看见小朋手足无措地站在我面前，而我的白裙子后面，有一大片血渍……

我睁开眼睛，笑了起来。

当年那孤独和寂寞的感觉，至今还记忆犹新。

那其实是一个十一岁的孩子内心所隐藏的恐惧感，害怕失去关爱和亲密的友谊。

我的书桌上有封快递，上面写满了英文。它来自美国芝加哥。我手忙脚乱地拆封后，从里面掏出一张黄底儿带紫色横条的信纸，还有一个小巧而精致的纸包，纸包上有紫罗兰的图案及日文。

打开纸包，从里面掉出一枚纯银的戒指，我把戒指戴在左手食指上，大小正好。

信纸上，写着几行字。

宝儿：

你每年的生日，我都惦记着。面对你的长大，我曾手足无措。无奈的是，我们留不住时光，你终究会长成一个大人。这是我的遗憾，也是你的幸运。

这枚戒指是我去日本时专为你挑选的，听说在十八岁生日这天，戴上纯银的戒指，会幸福一辈子。

好希望我的宝儿妹妹能得到一辈子的幸福！

你不再纯真的哥哥：小朋

2003年6月6日

我走到窗前，看着窗外的天光，西边燃起了大片壮观艳丽的火烧云。我拿起数码相机，拍下了这虚幻而又美丽的风景。

## 牵手阅读

少年的情感如云烟，朦胧，缥缈，看不清楚，也不需要看清楚。这篇作品详细记述了从十岁到十二岁的"我"的生日，也记录了"我"成长过程中那些不能忘却的细节，包括那段如云烟般看不真切的感情。小说的字里行间浮动着一种属于成长的淡淡的忧伤，也像云烟般缥缈和难以捉摸。故事在情节设计上过于工巧了些，但作者对女生细腻的成长感觉的把握和表现十分到位。从十岁到十八岁的情感故事，对"我"来说，正像一片"虚幻而又美丽的风景"。它无论多美，终究虚幻；它虽然虚幻，但终究带来过美丽。也许，这正是青春的一道风景。

[俄罗斯]
T·洛姆赛娜 著
刘永成 译

# 劣迹人名录

　　卡皮托琳娜·伊万诺芙娜老师说，我们这些小组长每人应该备有一本劣迹人名录。那些在课间乱跑乱闹的人，在课桌上乱写乱画的人，对别人不讲礼貌、推推搡搡的人，不给老年人让路的人，当然啦，还有那些上课迟到的人都应该被记入劣迹人名录。

　　我找了一本带斜线条的笔记本，可它那天蓝色的封面很好看，我觉得，有劣迹的人的名字不配被写在这么漂亮的本子里。于是，我跟爸爸要了一张黑色的书皮，将原来的封面包了起来。我刚刚在书皮上写完"劣迹人名录"这几个字，便觉得这个本子有些可怕，我几乎都不敢拿它了。

　　首先，应该把斯塔西克·马斯洛夫记到本子里，因为：第一，他上早操迟到；第二，他在食堂吃饭时偷偷地扔掉了馅儿饼。于是，我决定把他写进去。可是，我忽然想起来，那一次我也是只尝了一点儿馅儿饼便把它扔掉了。

　　后来，我检查了一下我们小组完成语文作业和数学作业的情况。我发现，斯维达·康德拉季耶娃昨天没有写作业。我从书包里掏出那个黑皮本子正要记下来，可斯维达解释说："爸爸昨天回家喝醉了酒，又吵又闹，吓得妈妈领着我和妹妹躲到邻居家去啦。"我打开本子，写道："第一个有劣迹的人是斯维达·康德拉季耶娃的爸爸。"

关于斯维达本人，我什么都没写。

课间休息时，斯塔西克又对大家推推搡搡的。我本想把他记下来，可他就是那种性格活泼的人，如果你不让他跑一跑，撞一撞，他就不能老老实实地坐下来听课。他并没有错，可女清洁工却用湿抹布打了他。于是，我在本子上写道："女清洁工瓦尔瓦拉·瓦西里耶芙娜是一个有劣迹的人。"

卡皮托琳娜·伊万诺芙娜检查了我的记录本，说：

"娜达莎，你为什么不跟那些违反纪律的现象作斗争？"

"我斗争啦，卡皮托琳娜·伊万诺芙娜，可我没有看见谁违反纪律。"

"娜达莎，这可不成！你要细心观察，明白吗？小姑娘，要细心观察一下！"

于是，我开始细心观察。不错，我还真发现有不少人"违反纪律"：瓦尼卡不让我第一个进食堂吃饭，加尔卡不让我跳绳……我当然没有写这些，我只写"他们在课间休息时到处乱跑"。真的，他们确实到处乱跑了，因为我们大家都在课间休息时跑跑闹闹。

后来，我渐渐善于跟"违反纪律"的现象作斗争了。现在，女孩子们跳绳时都让我先来，我到食堂吃饭也不用排队……我的好朋友尼娜也帮助我同"违反纪律"的现象作斗争。因此，跳绳时我让她紧跟在我的后面。

前天，我跟尼娜都忘记写数学作业。可娜达什卡·谢甫琴柯

不让我们抄她的作业。于是，我们连续三天监视她的课间活动。第三天，我们终于发现她"违反纪律"了：她课间在走廊上乱跑。我们立即捉住她，然后把她记入劣迹人名录。

星期六的晚上，我还像往常那样跟妈妈说悄悄话。我给她看了我那本黑封皮的劣迹人名录。不知为什么，妈妈看了很不高兴。她说，看了这个本子她只知道有一个有许多劣迹的人没有被写进去。我上床睡觉时妈妈没有吻我，还说让我好好想一想，然后告诉她谁是那个有许多劣迹的人。妈妈撕下了我写满劣迹人名的那一页。那时，我看见她的脸色真难看，好像牙痛病又犯了。

妈妈头一次在我睡觉时没有吻我。我想了好久，一宿也没有睡好觉。后来，我终于明白谁是有劣迹的人，可我实在羞于把这个人写进去。当然，还有另外一个人也有劣迹。

星期一上课时，班上几个小组长开始念自己的记录。柯季卡和柳西卡念了好长好长一个名单。卡皮托琳娜·伊万诺芙娜老师让所有违反纪律的人都站起来。而后，她还表扬了柯季卡和柳西卡。他们念完后，老师对我说："喂，娜达莎，现在该念你的记录本啦！"

斯塔西克、加尔卡、瓦尼卡及娜达什卡都低下了头。就连我们全组的同学也都皱起了眉头，因为我警告过全组的人，要把他们全记下来。

"娜达莎，你念念吧，勇敢一些。"卡皮托琳娜·伊万诺芙娜微笑着望着我们小组。

"我只写了两个有劣迹的人……妈妈同意我这样写。第一个有劣迹的人就是我，第二个人……"我哭了起来。

## 牵手阅读

　　这是一则值得我们每一个人仔细阅读和思考的故事。"劣迹人名录"的发明和使用，本身就是一种"劣迹"，它在记名者和被记名者之间，造成了一种不平等的权力关系，而这种不平等又逐渐导致了记名者本人的种种"劣迹"。一本"劣迹人名录"破坏了人与人之间单纯、友好的关系，也滋生了内心的自私和丑陋。而所有这一切，都是从老师的一个要求开始的。在小说结尾处，我想，每一位读者都会猜到，谁是"我"的"劣迹人名录"上第二个有劣迹的人。我们也不妨问一问自己，在长长的人生路上，我们能保证自己永远不受"劣迹人名录"的污染吗？

成长的滋味

# 作家笔下的童年

"童年"是一个富有诗意的词，也是一个沉重的词。童年透明的翅膀渴望飞翔，但同时又不得不承载起童年生命的艰辛和无奈。童年在作家们的笔下，既有明亮的微笑，也有澄澈的眼泪。

余华① 著

# 许三观过生日

许玉兰嫁给许三观已经有十年，这十年里许玉兰天天算计着过日子。她在床底下放了两口小缸，那是盛米的缸，在厨房里还有口大一点的米缸。许玉兰每天做饭时，先是揭开厨房里米缸的木盖，按照全家每个人的饭量，往锅里倒米，然后再抓出一把米放到床下的小米缸中。她对许三观说：

"每个人多吃一口饭，谁也不会觉得多；少吃一口饭，谁也不会觉得少。"

她每天都让许三观少吃两口饭，有了一乐、二乐、三乐以后，也让他们每天少吃两口饭，至于她自己，每天少吃的就不止是两口饭了。节省下来的米，被她放进床下的小米缸。原先床下只有一口小缸，放满了米以后，她又去弄来了一口小缸，没有半年又放满了，她还想再去弄一口小缸来，许三观没有同意，他说：

①余华，生于1960年，当代作家。

"我们家又不开米店，存那么多米干什么？到了夏天吃不完的话，米里面就会长虫子。"

许玉兰觉得许三观说得有道理，就满足于床下只有两口小缸，不再另想办法。

米放久了就要长出虫子来，虫子在米里面吃喝拉睡的，把一粒一粒的米都吃碎了，好像面粉似的，虫子拉出来的屎也像面粉似的，混在里面很难看清楚，只是稍稍有些发黄，所以床下两口小缸里放满米以后，许玉兰把米倒进了厨房的米缸里。

然后，她坐在床上，估算着那两口小缸里的米有多少斤，值多少钱，她把算出来的钱叠好了放到箱子底下。这些钱她不花出去，她对许三观说：

"这些钱是我从你们嘴里一点一点掏出来的，你们一点都没觉察到吧？"

她又说："这些钱平日里不能动，到了紧要关头才能拿出来。"

许三观对她的做法不以为然，他说：

"你这是脱裤子放屁——多此一举。"

许玉兰说："话可不能这么说。人活一辈子，谁会没病没灾的？谁没有个三长两短？遇到那些倒霉的事，有准备总比没有准备好。聪明人做事都给自己留着一条退路……再说，我也给家里节省出了钱……"

许玉兰经常说："灾荒年景会来的，人活一生总会遇到那么几次，想躲是躲不了的。"

当三乐八岁、二乐十岁、一乐十一岁的时候，整个城市都被水淹到了，最深的地方有一米多，最浅的地方也淹到了膝盖处。在这一年的六月里，许三观的家有七天成了池塘，水在他们家中流来流去，到了晚上睡觉的时候，还能听到波浪的声音。

水灾过去后，荒年就跟着来了。刚开始的时候，许三观和许玉兰还没有觉得荒年就在他们面前了，他们只是听说乡下的稻子大多数都烂在田里了，许三观就想到爷爷和四叔所在的村庄，他心想：好在爷爷和四叔都已经死了，要不他们的日子可怎么过！他另外三个叔叔倒是还活着，可是另外三个叔叔以前对他不好，所以他也就不去想他们了。

到城里来要饭的人越来越多，许三观和许玉兰这才真正感到荒年已经来了。每天早晨打开屋门，就会看到巷子里睡着要饭的人，而且每天看到的面孔都不一样，而那些面孔则都是越来越瘦。

城里米店的大门有时候开着，有时候就关上了，每次关上后再重新打开时，米价就往上涨了几倍。没过多久，以前能买十斤米的钱，现在只能买两斤红薯了。丝厂停工了，因为没有蚕茧。许玉兰也用不着去炸油条了，因为没有面粉，也没有食油。学校也不上课了，城里很多店都关了门，以前有二十来家饭店，现在只有"胜利饭店"还在营业。

许三观对许玉兰说："这荒年来得真不是时候。要是早几年来，我们还会好些；要是晚几年来，我们也能过得去。偏偏这时候来了，偏偏在我们家底空了的时候来了。

"你想想，先是家里的锅和碗，米和油盐酱醋什么的被收去了，家里的灶也被他们砸了，原以为那几个大食堂能让我们吃上一辈子，没想到只吃了一年，一年以后又要吃自己了，重新起个灶要花钱，重新买锅碗瓢盆要花钱，重新头米和油盐酱醋也要化钱。这些年你一分、两分节省下来的钱就一下子花出去了。

"钱花出去了倒也不怕，只要能安安稳稳过上几年，家底自然又能厚实起来。可是这两年安稳了吗？先是一乐的事，一乐不是我儿子，我是当头挨了一记闷棍，这些就不说了，这个一乐还给我们闯了祸，让我赔给了方铁匠三十五元钱。这两年我过得一

点都不顺心。紧接着，这荒年又来了。

"好在床底下还有两缸米……"

许玉兰说："床底下的米现在不能动，厨房的米缸里还有米。从今天起，我们不能再吃午饭了。我估算过了，这灾荒还得有半年，要到明年开春以后，地里的庄稼都长出来以后，这灾荒才会过去。家里的米只够我们吃一个月，如果每天都喝稀粥的话，也只够吃四个月多几天。剩下还有一个多月怎么过？总不能一个多月不吃不喝，所以要把这一个多月拆开了，插到那四个月里去。趁着冬天还没有来，我们到城外去采一些野菜回来，厨房的米缸过不了几天就要空了，刚好把它腾出来放野菜，再往里面撒上盐，野菜撒上了盐就不会烂，起码四五个月不会烂掉。家里还有一些钱，我藏在褥子底下，这钱你不知道，是我这些年买菜时节省下来的，有十九元六角七分，拿出十三元去买玉米棒子，能买一百斤回来。把玉米粒儿剥下来，自己给磨成粉，估计也有三十来斤，玉米粉混在稀粥里一起煮了吃，稀粥就会很稠，喝到肚子里也能觉得饱……"

许三观对儿子们说："我们喝了一个月的玉米稀粥了，你们脸上红润的颜色都喝没了，你们身上的肉也越喝越少了，你们一天比一天无精打采，你们现在什么话都不会说了，只会说'饿、饿、饿'，好在你们的小命都还在。现在城里所有的人都在过苦日子。你们到邻居家去看看，再到你们的同学家里去看看，每天有玉米稀粥喝的已经算是好人家了。这苦日子还得往下熬。米缸里的野菜你们都说吃腻了，吃腻了也得吃！你们想吃一顿干饭，吃一顿不放玉米粉的饭，我和你们妈商量了，以后会做给你们吃的，现在还不行，现在还得吃米缸里的野菜，喝玉米稀粥。你们说玉米稀粥也越来越稀了，这倒是真的，因为这苦日子还没有完，苦日子往下还很长，我和你们妈也没有别的办法，只好先把你们的小命保住，别的就顾不上了。俗话说得好："留得青山在，不怕没柴烧。"只要把命保住了，熬过了这苦日子，往下就是很长很长的好日子了。现在你们还得喝玉米稀粥，稀粥越来越稀，你们说尿一泡尿，肚子里就没有稀粥了。这话是谁说的？是一乐说的，我就知道这话是他说的，你这小崽子！你们整天都在说'饿、饿、饿'，你们这么小的人，一天喝下去的稀粥也不比我少，可你们整天说'饿、饿、饿'。为什么？就是因为你们每天还出去玩，你们一喝完粥就溜出去，我叫都叫不住，三乐这小崽子今天还在外面喊叫。这时候还有谁会喊叫？这时候谁说话都是轻声细气的，谁的肚子里都在咕噜咕噜叫着，本来就没吃饱，一喊叫，再一跑，喝下去的粥他妈的还会有吗？早他妈的消化干净了。从今天起，二乐、三乐，还有你，一乐，喝完粥以后都给我上床去躺着，不要动，一动就会饿，你们都给我静静地躺着，我和你们妈也上床躺着……我不能再说话了，我饿得一点力气都没有了，我刚才喝下去的稀粥一点都没有了。"

许三观一家人从这天起，每天只喝两次玉米稀粥了，早晨一次，晚上一次，别的时间全家都躺在床上，不说话也不动。一说话一动，肚子就会咕噜咕噜叫起来，就会饿。不说话也不动，静静地躺在床上，就会睡着了。于是，许三观一家人从白天睡到晚上，又从晚上睡到白天，一睡睡到了这一年的十二月七日。

这一天晚上，许玉兰煮玉米稀粥时比往常多煮了一碗，而且玉米粥也比往常稠了很多，她把许三观和三个儿子从床上叫起来，笑嘻嘻地告诉他们：

"今天有好吃的。"

许三观和一乐、二乐、三乐坐在桌前，伸长了脖子看许玉兰端出来的是什么，结果许玉兰端出来的还是他们天天喝的玉米粥。先是一乐失望地说："还是玉米粥。"二乐和三乐也跟着同

样失望地说：

"还是玉米粥。"

许三观对他们说："你们仔细看看，这玉米粥比昨天的，比前天的，比以前的可是稠了很多。"

许玉兰说："你们喝一口就知道了。"

三个儿子每人喝了一口以后，都眨着眼睛一时间不知道是什么味道，许三观也喝了一口。许玉兰问他们：

"知道我在粥里放了什么吗？"

三个儿子都摇了摇头，然后端起碗呼噜呼噜地喝起来。许三观对他们说：

"你们真是越来越笨了，连甜的味道都不知道了。"

这时，一乐知道粥里放了什么了，他突然叫起来：

"是糖！粥里放了糖！"

二乐和三乐听到一乐的喊叫以后，使劲地点起了头，他们的嘴却没有离开碗，边喝边发出咯咯的笑声。许三观也哈哈笑着，把粥喝得和他们一样响亮。

许玉兰对许三观说："今天我把留着过春节的糖拿出来了，今天的玉米粥煮得又稠又黏，还多煮了一碗给你喝。你知道这是为什么吗？今天是你的生日。"

许三观听到这里，刚好把碗里的粥喝完了，他一拍脑袋叫起来：

"今天就是我妈生我的第一天。"

然后他对许玉兰说："所以你在粥里放了糖，这粥也比往常稠了很多，你还为我多煮了一碗。看在我自己生日的分上，我今天就多喝一碗了。"

当许三观把碗递过去的时候，他发现自己晚了。一乐、二乐、三乐的三只空碗都已经抢在了他的前面，朝许玉兰的胸前塞了过去，他就挥挥手说：

"给他们喝吧。"

许玉兰说："不能给他们喝，这一碗是专门为你煮的。"

许三观说："谁喝了都一样，都会变成屎，就让他们去多屙一些屎出来。给他们喝！"

然后，许三观看着三个孩子重新端起碗来，把放了糖的玉米粥喝得哗啦哗啦地响，他就对他们说：

"喝完以后，你们每人给我叩一个头，算是给我的寿礼。"

说完以后，他觉得有些难受了，说：

"这苦日子什么时候才能完？小崽子苦得都忘记什么是甜了，吃了甜的都想不起来这就是糖。"

三个孩子喝完了玉米粥，都伸长了舌头舔起了碗，舌头像是拍巴掌似的把碗拍得噼啪响。把碗舔干净了，一乐放下碗，问许三观：

"爹，现在是不是要给你叩头了？"

"你们都喝完了吗？"许三观把三个孩子挨个儿看了一遍，"你们喝完了粥，你们该给我叩头了。"

一乐问："我们是一个一个轮流着给你叩头，还是三个人一起给你叩头？"

许三观说："一个一个来，从大到小，一乐你先来。"

一乐走到许三观面前，跪到地上，然后问许三观：

"要叩几个头？"

许三观说："三个。"

一乐就叩了三个头，然后二乐和三乐也分别给许三观叩了三个头。许三观看他们都没有把头碰到地上，就说：

"别人家的儿子给爹叩头，脑袋都把地敲出声响来，你们三个小崽子脑袋都没碰着地……"

许三观说完以后，一乐说：

"刚才不算了，我们重新给你叩头。"

一乐说着就跪了下去，将脑袋在地上敲了三下，二乐和三乐也学着一乐的样子用脑袋去敲地。许三观听着他们把地敲得咚咚直响，哈哈笑起来，他说：

"我听到了，我眼睛看到你们叩头了，耳朵也听到你们叩头了，行啦，我已经收到你们送的寿礼了……"

二乐说："爹，我们一起给你叩一次头。"

许三观连连摆手说："行啦，不用啦……"

三个孩子排成一排，跪在地上，一起用脑袋敲起了地，他们咯咯笑着把地敲得咚咚响。许三观急了，走上前去把三个孩子一个一个提起来，他说：

"别叩啦！你们这地方是脑袋，不是屁股，这地方不能乱敲，你们把自己敲成了傻子，倒霉的还是我。"

然后，许三观重新在椅子里坐下，让三个孩子在他面前站成一排，对他们说：

"换成别人家，儿子给爹祝寿，送的礼堆起来就是一座小山。不说别的，光寿桃就是一百个，还有吃的、穿的、用的，什么都有。再看看你们给我祝寿，什么都没有，只有几个响头。"

许三观看到三个儿子互相看来看去的，他继续说：

"你们也别看来看去了，你们三个都穷得皮包骨头的，你们能送我什么？你们能叩几个响头给我，我就知足了。"

这天晚上，一家人躺在床上时，许三观对儿子们说：

"我知道你们心里最想的是什么，就是吃！你们想吃米饭，想吃用油炒出来的菜，想吃鱼啊，肉啊什么的。今天我过生日，你们都跟着享福了，连糖都吃到了，可我知道你们心里还想吃。还想吃什么？看在我过生日的分上，今天我就辛苦一下，我用嘴给你们每人炒一道菜，你们就用耳朵听着吃了。你们别用嘴，用嘴连个屁都吃不到！都把耳朵竖起来，我马上就要炒菜了。想吃什么，你们自己点。一个一个来。先从三乐开始。三乐，你想吃什么？"

三乐轻声说："我不想再喝粥了，我想吃米饭。"

"米饭有的是，"许三观说，"米饭不限制，想吃多少就有多少，我问的是你想吃什么菜。"

三乐说："我想吃肉。"

"三乐想吃肉，"许三观说，"我就给三乐做一个红烧肉。肉，有肥有瘦，红烧肉的话，最好是肥瘦各一半，而且还要带上肉皮。我先把肉切成一片一片的，有手指那么粗，半个手掌那么大。我给三乐切三片……"

三乐说："爹，给我切四片肉。"

"我给三乐切四片肉……"

三乐又说："爹，给我切五片肉。"

许三观说："你最多只能吃四片，你这么小一个人，五片肉会把你撑死的。我先把四片肉放到水里煮一会儿，煮熟就行，不能煮老了，煮熟后拿起来晾干，晾干以后放到油锅里一炸，再放上酱油，放上一点五香，放上一点黄酒，再放上水，就用文火慢慢地炖，炖上两个小时，水差不多炖干时，红烧肉就做成了……"

许三观听到了吞口水的声音。"揭开锅盖，一股肉香是扑鼻而来，拿起筷子，夹一片放到嘴里一咬……"

许三观听到吞口水的声音越来越响。"是三乐一个人在吞口水吗？我听声音这么响，一乐和二乐也在吞口水吧？许玉兰你也吞上口水了。你们听着，这道菜是专给三乐做的，只准三乐一个人吞口水，你们要是吞上口水，就是说你们在抢三乐的红烧肉

吃。你们的菜在后面，先让三乐吃得心里踏实了，我再给你们做。三乐，你把耳朵竖直了……夹一片放到嘴里一咬，味道是，肥的是肥而不腻，瘦的是丝丝饱满。我为什么要用文火炖肉？就是为了把味道全部炖进去。三乐的这四片红烧肉是……三乐，你可以慢慢品尝了。接下去是二乐。二乐想吃什么？"

二乐说："我也要红烧肉，我要吃五片。"

"好，我现在给二乐切上五片肉，肥瘦各一半，放到水里一煮，煮熟了拿出来晾干，再放到……"

二乐说："爹，一乐和三乐在吞口水。"

"一乐，"许三观训斥道，"还没轮到你吞口水呢！"

然后他继续说："二乐是五片肉，放到油锅里一炸，再放上酱油，放上五香……"

二乐说："爹，三乐还在吞口水。"

许三观说："三乐吞口水，吃的是他自己的肉，不是你的肉，你的肉还没有做成呢……"

许三观给二乐做完红烧肉以后，去问一乐：

"一乐想吃什么？"

一乐说："红烧肉。"

许三观有点不高兴了，他说：

"三个小崽子都吃红烧肉，为什么不早说？早说的话，我就一起给你们做了……我给一乐切了五片肉……"

一乐说："我要六片肉。"

"我给一乐切了六片肉，肥瘦各一半……"

一乐说："我不要瘦的，我全要肥肉。"

许三观说："肥瘦各一半才好吃。"

一乐说："我想吃肥肉，我想吃的肉里面要没有一点是瘦的。"

　　二乐和三乐这时也叫道："我们也想吃肥肉。"

　　许三观给一乐做完了全肥的红烧肉以后，给许玉兰做了一条清炖鲫鱼。他在鱼肚子里面放上几片火腿、几片生姜、几片香菇，在鱼身上抹上一层盐，浇上一些黄酒，撒上一些葱花，然后炖了一个小时，从锅里取出来时是清香四溢……

　　许三观绘声绘色做出来的清炖鲫鱼，使屋子里响起一片吞口水的声音，许三观就训斥儿子们：

　　"这是给你们妈做的鱼，不是给你们做的，你们吞什么口水！你们吃了那么多的肉，该给我睡觉了。"

　　最后，许三观给自己做了一道菜，他做的是爆炒猪肝，他说：

　　"猪肝先切成片，很小的片，然后放到一只碗里，放上一些盐，放上生粉，生粉能让猪肝鲜嫩，再放上半盅黄酒，黄酒能让猪肝有酒香，再放上切好的葱丝，等锅里的油一冒烟，就把猪肝倒进油锅，炒一下，炒两下，炒三下……"

　　"炒四下……炒五下……炒六下……"

　　一乐、二乐、三乐接着许三观的话，一人跟着炒了一下，许三观立刻制止他们：

　　"不，只能炒三下！炒到第四下就老了，第五下就硬了，第六下那就咬不动了。三下以后赶紧把猪肝盛出来。这时候不忙吃，先给自己斟上二两黄酒，先喝一口黄酒，黄酒从喉咙里下去时热乎乎的，就像是用热毛巾洗脸一样。黄酒先把肠子洗干净了，然后再拿起一双筷子，夹一片猪肝放进嘴里……这可是神仙过的日子……"

　　屋子里吞口水的声音这时又响成一片，许三观说：

　　"这爆炒猪肝是我的菜，一乐、二乐、三乐，还有你许玉兰，你们都在吞口水，你们都在抢我的菜吃。"

最佳少年文学读本

说着，许三观高兴地哈哈大笑起来，他说：

"今天我过生日，大家都来尝尝我的爆炒猪肝吧。"

## 牵手阅读

64

　　这是从长篇小说《许三观卖血记》中节选的片段。灾荒的岁月，一碗放了糖的玉米稀粥就成了全家最大的快乐；而许三观用嘴"炒"出的一道道想象中的"菜"，则把这种快乐推向了高潮。作家所采用的是一种接近"零度"的叙事手法。也就是说，在整个情节的推进过程中，故事的讲述者只承担叙述故事的任务，从不主动站出来表达自己的看法。这使我们仿佛用自己的眼睛看到了许三观一家的生活。但在这种看似自然、客观的场景呈现中，其实无处不体现着作家的良苦用心。小说选取了"许三观过生日"这个特殊的场景，来表现一家人苦中行乐的生活：喝甜粥，叩寿礼，用嘴"炒菜"，用耳朵"吃菜"。我们可以说，作家写的是"苦"，表现的却是"乐"，是一种对生活的倔犟的乐观；但我们也可以说，作家写的是"乐"，表现的却是"苦"，是一种对令人心酸的生存状态的无奈。在这里，生活的苦难与幸福混杂在一起，形成了一种独特的幽默，让人微笑，也引人落泪。小说里有一些特别传神的细节描写，比如三个孩子就"红烧肉"里该放几片肉的争论和所提出的"全要肥肉"的要求，关于互相之间吞口水的计较，等等，既写出了童年天真的稚趣，也令人有一种不能自制的落泪的冲动。

舒婷[1] 著

# 童年絮味

童年的玩具只有一个布娃娃，她的塑胶面具很快就损坏，剥落，只剩下一个光秃秃的扁平的布脑袋。我只好用铅笔、钢笔、彩笔为它"整容"，随心所欲地描绘卷曲的睫毛、整齐的刘海儿、鲜红的樱桃小口。我怀中的宠物因此面目常新。我还搜遍外婆的针线篓，寻出碎布头，给娃娃做小帽子，做超短裙，甚至做了一件游泳衣。我的妹妹羡慕极了，她也有一个几不成形的小布娃娃，为央求我给她的小布娃娃打扮打扮，妹妹曾主动而勤劳地给我的洋娃娃洗澡。结果，我的可怜的娇滴滴的小美人，真正成了一袋湿漉漉的细糠，吊在晾衣绳上晃荡。那几天，妹妹畏畏缩缩地像小老鼠一样，我脸上自然是雷霆万钧。

再记不起有其他玩具了。

我的小儿子时常把许多玩具与图书弃之一地，百无聊赖地将自己倒置在沙发上，头朝下，问："妈妈，我今天干什么？"

①舒婷，女，生于1952年，当代作家。

小时候，我若也这样问妈妈，她必定捆我一巴掌。其实，我记得我们那时候总是很忙，却不是忙着做作业。作业当然是要做的，但从未听说过有哪个孩子因为做作业而没有时间玩。那时节房子少，荒地多，我们捉蝴蝶，拈蜻蜓，挖蚯蚓，钓鱼，喇叭花蕊有蜜汁可啜，桑树上可以采到紫红的桑葚，我们甚至还钻防空洞玩，连家门口那条有名的九曲巷都是我们捉迷藏的大好场所。

　　才跟我外婆上扫盲班没几天，大约认得十来个字，我就不可一世起来。我不理睬邻居小伙伴的呼唤，怀抱舅舅的一本精装英汉大字典，坐在大门铁栏内，像唱歌般地大声读书。过往行人不禁驻足，讶然侧耳，等听清这位"小神童"读来读去的都是"上下左右多少……"这几个字时，皆捂嘴走开。这时，我还未上学，却已不满足于妈妈给扎的两条小辫，于是自己对镜梳妆，一下子编了六条小辫子，扎上各色花布条，左顾右盼，觉得自己美极了。我大姨妈和妈妈相偕下班回来，看见一个小妖精在大门口跳橡皮筋，满头万国旗飞舞，她们先是前俯后仰，等看清是我，差点背过气去。

据说，外祖父生意亨通时，家中有四个丫头，但妈妈每天早上仍要扫地后才能上学，若扫得不干净，即便走出大门也仍要被外婆厉叱回来返工。等我刚懂事，我家非但生意收了十几年，家当也告竭，且身份是资本家，自然要低头做人。很小我就自己洗衣服，洗自己的碗，还要接受外婆严格的检查，渐成习惯。譬如洗地板，必用棕毛刷将每块方砖刷得通红，刷洗完以后骑在楼梯的扶手上陶醉半天。犹如现在抄稿子，若有涂改必撕去重来，抄毕，如同几十年前一样，在自己的劳动成果前心旷神怡。

我的玩伴很多，不似现在的孩子，总是被封锁在各个单元里苦读书。那时的邻居，常常不打招呼来到厨房撮一匙盐就走，如果明天突然下雨，说不定回来就见你晾的床单已叠好放在饭桌上了。小孩子更是在各家随意走动，"扁头"啦，"傻呆"啦之类的各种绰号常常一生蹭不掉。

我最忠实的影子是我的妹妹，虽只比我小两岁，却视我为绝对权威。她生性驯良，常常哭着从学校回来。我则屡屡替她出征，大多告捷。有一次，对方的姐姐邀来一帮高年级同学助战，我眼见敌不过，就抢起书包，呼呼有声，果然把他们全部吓退。从那以后，妹妹学会此招，再不要我护送。她的铅笔盒总是被甩开，铅笔、橡皮、小刀四下乱飞，她为这事不知吃了我妈妈多少巴掌，头还昂着，脸上一派胜利者的光辉。

我的小表妹常来外婆家过周末，夏夜我们贪南风，便铺张竹席睡在长廊。我们以一张破藤桌为舞台，一本正经地自己报幕，然后用尽丹田之气，鬼哭狼嚎。歌毕，我们立即吱呀一声跳下藤桌，趴在栏杆上往下瞧，数数聚在门口的听众有多少，每次都是我的表妹取胜。她后来考进一家文工团，在真正的舞台上颇出风头，想必与当年肆无忌惮地拔嗓子有关。

啊，夏天最是快活！夏天有长长的假期，可以整天泡在海水里。度完暑假的孩子都晒得黝黑，动作更加机灵，突然长高了许多。秋天的南方阳光最浓稠，而且不炙人，秋游野餐，秋季运动会陆续举行。冬天也不错，人人想着过春节、新衣服、压岁钱、放鞭炮，一年中最重要的节日在前头等着，冬日的寒风又算得了什么！

我害怕春天的梅雨，因为买不起一双小小的雨鞋。于是，上学路上我的小布鞋里就灌满了水，泡着我的脚整整一天。次日上学，鞋子仍是湿的，把脚伸进去时我总是咬着牙，噙着泪。后来鞋子改成塑料凉鞋，可仍是又湿又冷。

这么多年了，我一到冬末就开始病态地数着日子等梅雨。毛衣、被褥，洗了又晒了，梅雨还不来我就焦灼不安。就像小时丢了东西，回家等妈妈发火，可妈妈脸上却不见动静，害得我做不成作业，眼睛跟着妈妈在屋子里乱转。

所以，无论我那赶时髦的儿子怎样撇嘴、跺脚抗议，每年雨季来临之前，我都要给他买一双结实的小雨鞋。

（本文选自《少年文艺》，1992年第8期。）

## 牵手阅读

这篇散文的题目叫《童年絮味》，作者的笔法也犹如絮叨旧事般闲散，用很朴素、不雕饰的文字回忆童年时代那一桩桩并不起眼、却富有童年充沛的精力和想象力的小事情。童年清贫的物质生活与那时简单充实的快乐形成了互补和对比。作者的叙述自如地穿梭于过去和现在，也写出了不同时空下两种童年的对照。有关梅雨的回忆虽然只是寥寥几笔，也不着任何多余的忧伤字眼，读来却别有一种辛酸的滋味萦绕在心头。

迟子建① 著

# 北极村的故事

成长的滋味

我出生在北极村，那里有一条美丽的黑龙江从它的身旁流过。

村子是由高大的木刻棱房子组成的居民区。房子与房子之间间隔很大，足足可以用柳条圈成两个大菜园。菜园中的土无须说，自是黑土，肥沃，且有香味。人们就在这园子中种菜，盖猪栏，架鸡舍等。

家家的门前都养着一条狗。入夜，风声大作的时候，狗叫声也就像涨潮一样汹涌不息了。

当然，这都是十几年前的事了。

十几年前的我正是爱做美梦的童年时期。我的饱经沧桑的外祖父和善良慈祥的外祖母曾给我讲了许多许多关于这条江、关于生活在这条江两岸的人们的故事。这些动人的故事就像阳光照耀下的沙滩上的五彩石一样，在我幼小的心灵里焕发着光辉。

---

①迟子建，女，生于1964年，当代作家。

可有一件事我却弄不明白，那就是外祖父所说的，他说还有比我们北极村更远的地方。他说那个地方的人们住冰房子，吃生鱼。外祖父没有到过那地方，可他却说得那样津津有味，仿佛那是真的似的。

"姥爷，你没去过那里，为什么知道那里的事情呢？"

"姥爷想的。"

"那我可不可以想一个呢？"

"那怎么不行？"外祖父说。

原来，任何一个没有去过的地方，都可以按自己想的去诉说那里的故事呀！

于是，我就想了一个更遥远的北极的故事。


我被一股强大而寒冷的气流给裹挟到了那里。呀，这里除了白色的东西之外，就是天空上的微红色的太阳了。

最先迎接我的是穿着银白色礼服的企鹅们。它们各个都长得丰腴美丽，步子迈得很有乐感，好像是集体出嫁的新娘。

企鹅带着我，先把我领进一座冰房子里。冰房子里没有生火炉，但阳光却洒满了房子，冰房子的四壁都洋溢着一种玫瑰色的喜气。

一个身穿虎皮的老人向我走来。他的胡子拖在地上，像彗星的长尾巴，在冰地上飘逸着。他快到我身边的时候，就轻轻地弹了一下手指，于是，那些企鹅就安静地出去了。

"你是哪个国家来的呀，姑娘？"

"我是从中国来的，我来自北极村。"

"你叫什么名字，孩子？"

"爸爸，你看她浑身在抖，你别问她叫什么名字了吧，先让她吃点熊肉吧。"一个穿着黑色裘皮衣服的少年对老人说。

"好吧，好吧。"

我就被那少年领进了冰房子里面的一个小空间。这里有一个像太阳那么大的火炉，炉子里烧的不是柴火，但橘黄色的火苗却很旺。

"这里烧的是什么？"

"是月光。"

"月光怎么能烧呢？"

"月光烧起来最温暖了，又不冒烟。"

"可怎么能拾到月光呢？"

"晚上，月亮升起来的时候，我们就背着桦皮篓，然后用铲花的小锄来拾。"

"怎么拾呢？"我还是问。

"晚上我带你去，你就知道了。"

我开始吃熊肉，我冷极了，也饿极了。熊肉煨得很烂糊，也很香，外祖母可从来没有做过这么好吃的熊肉。外祖母炖熊肉总是要用盐水煮，里面再扔几粒花椒。

成长的滋味

"这熊肉这么好吃，它是怎么煮的？"

"它是用银河的水，加上白桦树的汁液以及雪莲花的花瓣煮成的。"

这多奇妙！我不由得吐吐舌头。

吃完了熊肉，我觉得浑身都暖洋洋的。我就坐在一块狗皮上，跟少年讲北极村的故事。

"你们北极村有企鹅吗？"

"没有。我们那里有山雀，红脑门儿的，可漂亮呢，也很会叫！"

"那你们那里有冰房子吗？"

"没有。我们住木头房子。里面砌上两面大火墙，烧原木疙

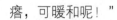

瘩，可暖和呢！"

"那你们养狗吗？"

"我们养狗，家家的门前都养一条狗。"

"你们养狗做什么用呢？"

"看家，打猎。"

"那你叫什么名字？几岁了？"

"我都十岁了。我叫迟子建。"

"迟子建？是什么意思呢？"

"迟子建，是我爸爸给起的名字。他喜欢读曹植的《洛神赋》，而曹植的名字叫子建，他就给我起了这个名字。"

"可曹植是谁呢？"

"我也不知道，爸爸说我大了就知道了。"

"那他还活着吗？"

"爸爸说他早死了，死了很久很久了。"

"哦，这真有意思。"少年托着腮帮子，接着问我，"你的小名叫什么？"

"叫迎灯。我是正月十五生的，正月十五是灯节，我生在傍晚，天刚黑，灯还没点，所以叫'迎灯'。你们这里不过这个节日吧？"

"我们没有这个节日。我们每年只过一个节，是新年。"

"那你们这里可没有我们那里好。没有节日的日子多难过呀！"我说。

我和这个少年说了好久。他告诉我，他叫杰克，今年十三岁了，喜欢拉弓射箭。


晚上，杰克带着我去冰上拾月光。这里的月亮好大好大呀！我一出冰房子就惊喜得要跳起来了。好像再长几年，那枚月亮我就可以摘下来了。它那么温柔地照着极地的每一个地方，橘黄色的光辉洒在冰面上，就像给冰面刷了一层油似的，亮晶晶的。

我把桦皮篓卸下来，杰克就开始用小花锄拾月光了。他轻轻地铲，每铲一下，月光就消失了一点，一层黄油似的东西就堆在了一起，像块奶油似的。

最后，我们拾了满满一篓子的月光。桦皮篓一下子膨胀起来了。被刮过月光的冰面上呈现出银白的色调来，好像一大块丰收的麦田上飘拂着一块白纱巾。

我们背着桦皮篓往冰房子里走。杰克坚持不让我背，他说这么浓的月光很沉，我的肩膀现在还承受不了这重量。

那天晚上，我就睡在冰房子里。

第二天早晨，胡须拖地的老人把我摇醒了。他让我起来吃饭。他说吃过饭后，我们就坐着雪橇去捕鱼。

早餐是杰克起了个大早打来的。他射了一只老鹰，我们用它调汤喝。汤的味道鲜美极了。喝汤的时候，我和杰克共用一只桦皮碗，我们边喝边互相瞅着看。

成长的滋味

"杰克，吃饭时不要东张西望。"老人说他。

"我在锻炼眼睛捕捉东西的能力呢。"杰克舀了满满一勺子汤。

"嗯。"老人不满地嘟哝了一句。

雪橇早已准备好，四条大黄狗被套在那里。企鹅们刚刚吃过早饭，都容光焕发地站在冰房子外面迎接我们出去。

杰克把网扔在雪橇上，然后就把一块熊皮铺好，让我坐在上面。一会儿的工夫，我们的雪橇就出发了。

雪橇像电一样嗖嗖地跑着，空气中雪粒飞扬，扑了我一脸，

使我喘不过气来。四条黄狗跑得气喘吁吁的，身上冒着大雾一样的汗气。

这里没有山，没有树。这里只有冰和雪。雪橇在冰面上滑行一个多小时后，终于到达了一个大洋。

杰克说它叫北冰洋。我告诉他，这个地方我听外祖父讲过。这是个深蓝色的一望无际的冰封的大洋。大洋的上空正驮着一轮辉煌的红日。整个洋面辽阔坦荡、茫茫无边，就像我见过的家乡那秋季的天空一样。

"杰克，你去把昨天下的网起出来。"老人吩咐他。

杰克答应着，就去起网了。他先用铁钎锤击一块圆形的冰面，然后再用铁笊篱把碎冰碴儿捞起来，一圆孔的北冰洋的水就呈现在面前了。

杰克埋头起网，网被提出来了，一条条活蹦乱跳的鱼像一群光着屁股的胖娃娃，欢呼雀跃地上了冰面。老人用一条大麻袋再把它们装进去，每装满一袋，就用绳子扎紧口，然后扔在雪橇上。

我做杰克的帮手。有些大鱼他一个人弄不过来，我就上前帮忙。老人因为收获的喜悦而激动着，嘴角挂着笑意。

下午，太阳变得灰蒙蒙的，我们的雪橇装满了鱼，我和杰克坐在雪橇上回冰房子了。这时，天空飘下大片大片的雪来，很快，冰面上什么也看不清了，模糊一片，白茫茫的。

回到冰房子时，雪还没有停，企鹅们却焦急地等了好久了。它们没有去看雪橇上的鱼，就先唧唧哝哝跟老人讲什么。老人点着头，然后回头看我，我感到那目光很让人害怕。

进了冰房子，我才发现外祖母家那只可爱的白鸽子被绑了双脚，正在那里掉眼泪呢。

"白鸽子，你怎么在这里？"

　　我扑上去，把它抱在怀里，然后冲杰克大发脾气，我说他们这个地方的人怎么这么不讲人性，我家乡的鸽子来了竟受到这种待遇！杰克知道这是企鹅们自作主张办的蠢事，就狠狠地把它们骂了一顿，于是，那些肥胖的企鹅就垂头丧气地出去了。

　　"杰克，我们得让她走了。"老人捻着胡须对他说。

　　"为什么要让她走呢？"

　　"因为她的外祖母让鸽子捎来封信，说她是在睡梦中飞出来的。她爱做梦，可她的外祖母却很着急。"

　　"那他们怎么知道她到这里来了呢？"

　　"因为她外祖母说，她是这里天空中的一颗小星星。"

　　我终于想起来了，我七八岁的时候，妈妈就常常跟我说，她说她生我的时候曾经梦见一颗星星扑在她的奶子上。她说我是顶着星星下来的。可我不知道，我就是这里的一颗星，这里这么这么遥远，又这么这么冷，而且人又这么这么稀少，而且一年才只过一次节日！

　　我就是这里的一颗星星？

　　杰克听完这些话，就低头不做声了。杰克长着一双漂亮的像北冰洋的水那么蓝的眼睛，杰克没有一个很高傲的鼻子。杰克在冰面上拾月光的时候，动作非常优雅。

　　我和杰克还没有玩够呢！

　　可我不得不回去。我要走的前一晚，我和鸽子、杰克、老人围在月光炉上吃饭。这次我们吃的是蒸鱼，味道鲜美，恐怕这辈子是忘不了的了。

　　吃完饭，我就和杰克背着桦皮篓到冰房子外面拾月光。当桦皮篓里的月光满了的时候，我忽然发现杰克不见了。我喊他，他不答应，我就去冰房子找老人，老人也不见了。我又去找企鹅，企鹅也没了。

都没了，只剩下一片浏亮冰面上的好月光和我的一桦皮篓的月光。我趴在那里哭了。

这就是我常常做过的关于北极的梦。这梦想已过多年。我背着装有月光的桦皮篓，从北极村走出多年了。我还常常想起杰克，想起那个老人和那座冰房子。

既然妈妈说我是一颗星，那么，我希望几十年后，有了我归宿的那一天，我就去那里。

可我不知道杰克是否死了，或者，他活着却已经苍老了。可我还会爱他的，只因为那一块纯净的天地和那一种纯净的情怀。

## 牵手阅读

今天我们读到这样一则童话，不会觉得它的内容有什么特别奇妙的地方，但它有一个比较特别的开头。"我"从外祖父、外祖母的故事里知道了"原来，任何一个没有去过的地方，都可以按自己想的去诉说那里的故事"。于是，"我"也想出了这么一个北极的故事。这样的设计为这个故事里的故事制造出一种亦真亦幻的阅读效果。关于北极的故事和故事里那个装着月光的桦皮篓，是童年留给生命的永远的梦想。

莫言① 著

# 陪考一日

成长的滋味

　　7月6日晚，我们带着书、衣服、药品、食物等诸多在这两天里有可能用得着的东西，搭出租车去赶考。我们很幸运，女儿的考场排在本校，而且我们提前在校内培训中心定了一个有空调的房间，这样既是熟悉的环境，又免除了来回奔波之苦。信佛的妻子说："这是佛祖的保佑啊！"我也说："是的，这是佛祖的保佑。"坐在出租车上，看到车牌上的号码尾数是575，心中暗喜，也许就能考575分，那样上个重点大学就没有问题了。车在路口等红绿灯时，侧目一看旁边的车，车牌号码的尾数是268，心里顿时沉重起来。如果考268分那就糟透了。赶快看后边的车牌尾数，是629，心中大喜，但转念一想，女儿极不喜欢理科而学了理科，二模只考了540分，怎么可能考629分？能考575分就是天大的喜事了。

　　车过了三环路，看到一些学生和家长背包提篮地向几家为

---

①莫言，生于1955年，当代作家。

高考学生而开了特价房间的大饭店拥去。虽说是特价，但每天还是要400元，而我们租的房间只要120元。在这样的时刻，钱是小事，关键的是这些大饭店距考场还有一段搭车不值得、步行又嫌远的尴尬距离，而我们的房间距考场只有100米！我心中满是感动，为了这好运气。

安顿好行李后，女儿马上伏案复习语文，说是"临阵磨枪，不快也光"。我劝她看看电视，或者到校园里转转，她不肯。一直复习到深夜11点，在我的反复劝说下，她才熄灯上床。女儿上了床也睡不着，一会儿说忘了《墙头马上》是谁的作品，一会儿又问高尔基到底是俄国作家还是苏联作家。我索性装睡不搭她的话，心中暗暗盘算，要不要给她吃片安定。不给她吃怕折腾一夜不睡，给她吃又怕影响了脑子。终于，我听到她轻轻地打起了鼾，不敢开灯看表，估计已是零点多了。

凌晨，窗外的杨树上，成群的麻雀齐声欢噪，然后便是喜鹊喳喳地大叫。我生怕鸟叫声把她吵醒，但她已经醒了。我看看表，才四点多钟。这孩子平时特别贪睡，别说几声鸟叫，就是在她耳边放鞭炮也惊不醒，常常是她妈扳着她的脖子把她扳起来，一松手，她随即躺下又睡过去了，但现在几声鸟叫就把她惊醒了。我拉开窗帘，看到外边天已大亮，麻雀不叫了，喜鹊还在叫。我心中欢喜，因为喜鹊叫是个好兆头。女儿洗了一把脸又开始复习，我知道劝也没用，干脆就不说什么了。离考试开始还有四个半小时，我很担心到上考场时她已经很疲倦了，不禁心中十分着急。

早饭就在学校食堂里吃，这个平时胃口很好的孩子此时一点胃口也没有。饭后，我劝她在校园里转转。刚转了几分钟，她就说还有许多问题没有搞清楚，然后又匆匆上楼去复习了。从7点开始，她就一趟趟地跑卫生间。这让我想起了我的奶奶。当年

"闹日本"的时候，一听说日本鬼子来了，我奶奶就往厕所跑。解放后许多年了，我们搞恶作剧，大喊一声"鬼子来了"，我奶奶马上就脸色苍白，提着裤子往厕所跑去。唉，这高考竟然像日本鬼子一样可怕了。

终于熬到了8点20分，学校里的大喇叭开始广播"考生须知"。我送女儿去考场，看到从培训中心到考场的路上拉起了一道红线，家长只许送到线外。女儿过了线，去向她学校的带队老师报到。

8点30分，考生开始入场。我远远地看到穿着红裙子的女儿随着成群的考生拥进大楼，终于消失了。距离正式开考还有一段时间，但方才还熙熙攘攘的校园内已经安静了下来，杨树上的蝉鸣变得格外刺耳。一位穿着黄军裤的家长仰脸望望，说："北京啥时候有了这玩意儿？"另一位戴眼镜的家长说："应该让学校把它们赶走。"又有人说："没那么玄乎，考起来他们什么也听不到的。"正说着蝉的事，人们猛然看到一个手提着考试袋的小胖子大摇大摆地走了过来。人们几乎是一齐看表，发现离开考还有不到10分钟了。几个带队的老师迎着那小胖子跑过来，好像是责怪他来得太晚了，但那小胖子抬腕看看表，依然是不慌不忙、大摇大摆地向考场走去。这个小胖子从容不迫的气度令家长们大为折服。有的说："这孩子，如果不是个最好的学生，就是一个最坏的学生。"穿黄裤子的家长说："不管是好学生，还是坏学生，他的心理素质绝对好，这样的孩子长大了可以当军队的指挥官。"大家正议论着，就听到从学校大门外传来一阵低低的喧哗声。于是，大家都把身体探过红线，歪头往大门口望去，只见两个汉子架着一个身体瘦弱的男生，急急忙忙地跑了进来。那男生的腿就像没了骨头似的在地上拖拉着，脖子歪到一边，似乎支撑不了脑袋的重量。一个中年妇女——显然是他的母亲——紧跟在

男孩的身后，手里拿着考试袋，还有毛巾、药品之类的东西，一边小跑着，一边抬起胳膊擦着脸上的汗水与泪水。一群老师从考试大楼里跑出来，把男孩从那两个男人手里接过去，那位母亲也被拦挡在考试大楼之外。红线外的我们，一个个都很感慨、很同情的样子，有的叹气，有的低声咕哝着什么。我的觉悟不高，心中有对这个带病参加考试的男生的同情，但更多的是暗自庆幸：不管怎么说，我的女儿已经平平安安地坐在考场里，现在已经拿起笔来开始答题了吧。

考试正式地开始了，蝉声使校园里显得格外安静。我们这些住在培训中心的幸运家长，站在树荫里，看到那些聚集在大门外的强烈阳光下的家长们，心中又是一番感慨。因为我们事先知道了培训中心对外营业的消息，因为我们花了每天120元钱，所以我们就可以站在树荫里看着那些站在烈日下的与我们身份一样的人。可见，世界上的事情，绝对的公平是不存在的。譬如这高考，本身也存在着很多不公平的地方，但它比起当年的推荐工农兵大学生来是公平得多了。对广大的老百姓的孩子来说，高考是选拔人才的最好的方式，任何不经过考试的方式，譬如保送，譬如推荐，譬如各种加分，都存在着暗箱操作的可能性。

有的家长回房间里去了，但大多数的家长还站在那里说话，话题飘忽不定，一会儿说天气，说北京成了非洲了，成了印度了，一会儿又说当年的高考是如何地随便，不像现在这样如临大敌。学校的保安过来干涉，让家长们不要在校园内说话，家长们很顺从地散开了。

将近11点30分时，家长们都把着红线，眼巴巴地望着考试大楼。大喇叭响了起来，说："时间到了，请考生们立即停止书写，把卷子整理好放在桌子上。"女儿的年级主任跑过来，兴奋地对我说："莫先生，有一道18分的题与我们海淀区二模卷子上的题几乎一样！"家长们也随着兴奋起来。一位不知是哪个学校的带队老师说："行了，明年海淀区的教参书又要大卖了。"

学生们从大楼里拥了出来。我发现了女儿，远远地看到她走得很昂扬，心中感到有了一点底。等我看清了她脸上的笑意时，心中更加欣慰。我迎住她，听她说："感觉好极了！一进考场就感到心中十分宁静，作文写得很好，题目是《天上一轮绿月亮》。"

下午考化学。散场时，大多数孩子都是喜笑颜开的，都说今年的化学题出得比较容易，女儿自己觉得考得也不错。第一天大获全胜，赶快打电话往家里报告喜讯。晚饭后，女儿开始复习数学，直至11点。临睡前，她突然说："爸爸，下午的化学考卷上，有一道题，说'原未溶解……'我审题时，以为卷子印错了，就在'原未'的'未'字上用铅笔写了一个'来'字，忘记擦去了。"我说："这有什么关系？"她突然紧张起来，说："监考老师说，不许在卷子上做任何记号，做了记号的就当成作弊卷处理，得零分。"我说："你这算什么记号？如果这也算记号，那作文题目是不是也算记号？另外，即便算记号，你知道谁来判你的卷子？"她听不进我的话，心情越来越坏，说："我完了，化学要得零分了。"我说："我说了你不信，你可以打电话问问你的老师，听听她怎么说。"她给老师打通了电话，一边诉说，一边哭。老师也说没有事，但她还是不放心。无奈，我又给山东老家在中学当校长的大哥打电话，让他劝说。她总算是不哭了，但心中还是放不下，说我们是在安慰她。我说："退一万步说，他们把我们的卷子当成了作弊卷，给了零分，我们一定要上诉，跟他们打官司。爸爸认识不少报社的人，可以借助媒体的力量，把官司打赢……"

凌晨1点，女儿心事重重地睡着了。我躺在床上，暗暗地祷

成长的滋味

告着：佛祖保佑，让孩子一觉睡到8点，但愿她把化学卷子的事忘记，全身心地投入到今天的考试中去。今天上午考数学，下午考物理，这两项都是她的弱项……

## 牵手阅读

　　这篇散文用十分日常化的口吻，叙述了作者在7月7日这一天的高考陪考经历。文章对于当天各种生活、情感和场景细节的交代并没有什么特别的重心，有时甚至近于"啰唆"，但这种文字上的有意拖沓恰恰传达出女儿和"我"以及其他所有参加高考的孩子和陪考父母的紧张、焦躁、无所依托的心理和情绪特征。作者在文中频繁地提及时间，这既是对客观时间的说明，也是内心焦虑的一种外化，它与随着时间的推移发生在考场内外的各种事件一起，使整个陪考过程始终笼罩在紧张的气氛之中。作者运用的语言是直白的和絮语式的，叙事也只以墨线勾勒，很少色彩的渲染。这是作家为专属于中国孩子和他们的父母的某一段特殊记忆所留下的笔墨见证。

# 名字意味着什么

严格说来，一个人与他(她)的名字之间，起初并不存在必然的联系，但是很奇怪，一旦我们开始拥有某个名字，它就会很自然地与我们的生命、我们的悲喜交织在一起，仿佛它从来都是生命中早已注定的那个部分。

彭学军[1] 著

# 我叫单单单

成长的滋味

很怪的一个名字，对吧？

单单单，知道怎么发音吗？正确的发音应该是："Shàn Dāndān。"和我原来的名字音同，字不同，我原来的名字是这样写的：单丹丹。

家从城南搬到城北，我也转到一所新学校，上学的前一天，我心血来潮，自作主张地把"单丹丹"改成了"单单单"。不为什么，就觉得搞笑！独特！有个性！别具一格！

老妈盯着那三胞胎一样的字，皱着眉头说："不好，我怎么看，怎么觉得别扭。"

我说："你觉得别扭了？那这个名字就这么定了！"

"死丫头，你专门和我作对！"老妈说着，要来敲我的头。

我大叫一声："停！敲坏了你可别后悔。"

老妈的手像机器人突然断了电一样停在半空中。这招果然很

---

① 彭学军，女，生于1963年，儿童文学作家。

管用，她怎么舍得敲！上回期终考试，我超常发挥，得了个全班第三，老妈就对我这个脑袋格外看重，她还指望着它帮我考上重点中学，继而名牌大学，金榜题名，光宗耀祖呢。

我嘻嘻一笑，跑开了。

大约我跑的样子太难看——手脚乱甩、有点内八字、一点儿也不优雅得像只小鹿，老妈又在那里摇头叹气。

老妈端庄大方，老爸文质彬彬，可我从小就没正形，有时比男孩还皮。有一次，我亲耳听见老妈跟老爸嘀咕："这孩子怎么一点也不随我们！是不是当初在医院里抱错了？"

没想到老爸慢慢悠悠地说："这样有什么不好？我看挺好，抱错了也是我女儿！"

"耶，老爸万岁！"我狂喜，大叫一声冲过去，抱着老爸乱亲。老妈看着我的疯样儿唉声叹气。

我带着一个新名字来到一所新学校开始了我的新生活。

谁知，碰巧了，我所在的那个班的前任班主任调走了，接任的班主任也和我一样是初来乍到。第一节课，班主任先做了自我介绍，然后开始点名。我知道我的戏来了，就乖乖女一般屏声敛气地等着。

点到我时，果然卡住了，他皱了皱眉头，扶了扶眼镜，然后使劲地吞了一口唾沫，好像我的名字是一颗酸极了的杨梅。他犹犹豫豫地叫道："Dān Dāndān。"

下面静了两秒钟，然后像突然飞进来了一群蚊子，嗡嗡叫起来：

"这么个怪名字！"

"听起来像谁在敲东西。"

"好搞笑哦！"

然后，他们都看着我。只有我是新生哦。我做害羞状，微微低着头，一声不吭地坐着。

"Dān Dāndān。"班主任又叫了一遍，我依然不动声色。班主任无奈，只好把"单单单"这三个字写在黑板上，说："请叫这个名字的同学站起来。"这回，我不得不站起来了。

"你就是……是那个Dān Dāndān？"班主任小心翼翼地问。

"我叫Shàn Dāndān，第一个是姓，要读Shàn。"我指着黑板上的字说。

"哦，这个……我是教数学的，语文差了点，差了点。"班主任说着，自嘲地笑了笑。

他一笑，全班同学也跟着笑。这样一笑，就陡然拉近了我和大家之间的距离，我们相互之间都觉得少了很多拘束，后面不知是谁甚至还亲热地拍了一下我的头。

于是，刚开始的那几天，每门学科的第一堂课上，我的名字成了大家的一个兴奋点。大家都饶有兴趣地等待着老师点我名字的那一刻，然后逮住机会放肆地笑几声。能准确无误地叫对我名字的除了语文老师（她是学这个的，这难不倒她），居然还有体育老师。

那天，在操场上，体育老师喊了"立正"、"稍息"后就开始点名。点到我时，他居然行云流水般地叫道："Shàn Dāndān。"这让全班同学大跌眼镜，我更是目瞪口呆，忘了应"到"！

没想到，这个还长着青春痘的高大帅气、孔武有力的大男孩居然把语文学得这么好。我回过神来时向大伙儿扫了一眼，当即就有三分之二的女生两眼放光，心潮澎湃，仅仅在几秒钟的时间里，他就成了她们眼中的刘德华或是周杰伦。

就这样，刚到一所新学校，我就成了知名人士，全班四十五个人，有谁不知道我的名字呀！选举班长时，居然有人提议：

"我选单单单。"

"同意。"有几个声音叫道。

"就单单单啦！"大家纷纷附和。

就这样，我这个从来没当过班干部的人稀里糊涂地当上了班长。

你还别说，这个怪怪的名字还挺带彩的，没过几天，我更是美名远扬了。

这天，放学回家的路上，走到德昌路时，猛然听到有人高喊："抓住他！"

抬头一看，一个面相很凶、牛高马大的人迎面飞奔过来，有两个警察跟在后面追。

街上到处是下班后匆匆回家的人。有的人一时没反应过来，愣在那里；有的人明白了怎么回事，远远地躲闪着。

那家伙越来越近了。要不要抓住他？这个念头还只是在脑海中闪了一下，我就浑身战栗起来。他龇牙咧嘴地跑着，额头上好像还有一道丑陋的疤，他那样子好可怕哦！我一个女孩子怎么抓得住他？如果我挡在他前面，他肯定会像拎小鸡一样把我拎起来丢到马路中间去。

当时，我正吃着一支雪糕，于是，我急中生智，在他从我身边跑过的一瞬间把雪糕丢到了他脚下，他居然很配合地一脚踩了上去，一滑，身体失去了平衡，他的两只手大幅度地在空中乱舞，一下子勾住了我的书包带子，哗啦一声，书包撕裂了，我们一起倒在了地上。我吓晕了，怕他会扑上来掐死我，可就在这时，警察冲了上来，一下子摁住了他……

很惊险哦！是不是有点像电影里的镜头？

事后，我确实是这样向别人描述的。

我被人扶了起来，检查了一下，身体倒是完好无损，可我的书包惨了，根本没办法再背，只能抱着。警察把散在地上的课本捡起来，递给我，亲切地说："谢谢你，小姑娘。"

他又看了看我的作业本，说："哦，你是师大附小四(3)班的，叫……"他的眼睛眯了起来。我这才发现，这个警察好酷哦，长得有点像老外，对了，像007！我紧张起来：拜托了，"007"，求求你了，不要念错了我的名字，你有点文化好不好，千万不要败了我的兴，人家体育老师……

"你叫Dān Dāndān，不错，这个名字好记。""007"说道，还拍了拍我的头。

不错你个头，晕！

第二天放学时，班主任叫我去一趟校长室，说校长有请。班主任人到中年，有时有点小幽默，但在大多数的时候，沉稳、冷静而又有些疲惫，不过，这会儿状态很好，满脸笑容。我大致猜到了是什么事。

成长的滋味

我推开校长室的门，彬彬有礼地说道："校长好。"

校长正在看什么东西，他抬起头来，跟班主任一样笑容满面地看着我："哦，你就是……嗯……Dān Dāndān同学吧？公安局送来了一封表扬信……"他扬了扬手里的东西。

"校长，我叫Shàn Dāndān。"我打断校长的话。（我这样做是不是很不礼貌？）

第二天课间，学校广播站就开始反复播报我的英雄事迹，女播音员的声音甜美娇嫩，把我的英雄事迹播得像一篇抒情散文，而且，她还别出心裁地把我的名字念成了"Shàn Shànshàn"！她倒是知道"单"字还有个读音是"shàn"，好像很有文化，可我宁愿她是白痴！

我终于忍无可忍，冲进播音室，把那个女孩吓了一跳。

没等她反应过来，我一把抢过话筒，定了定神，终于鼓起勇

气说出了这两天来一直憋在我心里的话：

"各位同学、老师，弄……弄错了，我……我不是什么英雄……其实，那天我吓得发抖，一动也不敢动，是别人撞了我一下，然后雪糕掉在了地上，那个逃犯恰巧一脚踩了上去……就是这样的……"

刚开始时，我很紧张，结结巴巴的，后来就镇静下来。说完了，我心里舒坦了许多。我微笑着把话筒递给旁边那个呆若木鸡的播音员，她不知所措地看着我："你……你是……"

对了，还有一句很重要的话：

"我不叫Shàn Shànshàn，也不叫Dān Dāndān，我叫Shàn Dāndān。"

## 牵手阅读

这是一篇与名字有关的校园小说。主人公"单单单"替自己改的这个古怪的名字，既是小说基本情节的展开点，也是故事趣味的主要来源。作者的本意并不在于强调名字本身的意义，但通过名字所引发的一连串校园生活小插曲，名字的意义也就不知不觉地显露了出来。在童年的某个时间段，我们每个人都会特别相信名字的力量，或许，我们也曾像故事中的这位女孩一样，向往过另外某个与众不同的名字。

郑衍文 著

# 名字意味着什么

对布伦特来说，这一天是漫长而难熬的。往日的他总是风光无限，而今天，他还没有做成一笔生意。

快要下班的时候，一名男子走了进来，想买一套西装。这极有可能是一笔好买卖。这笔生意若是做成了，他便可以扭转乾坤，来个"关门红"。为了把这笔生意拿下来，布伦特煞费苦心。他一边让那位男子试衣服，一边耐心地解释料子、做工等等。衣服虽说价格高了点，可是物有所值。

那个人还是拿不定主意。一看那个人的眼神，布伦特就知道他要空手而走了。布伦特太了解这样的眼神了。其实，布伦特谙熟应对顾客的各种技巧。他相信，只要他动用一点小小的手段，他就能把衣服卖出去，可布伦特已决定不再用那些手段了。布伦特明白，眼前的这位顾客就要离开这里去别处转了。布伦特拿出一张名片，彬彬有礼地递给他，并欢迎他再次光临。

那人接过名片看了看，抬头打量布伦特。

"你是布伦特家的孩子？"那人指着名片上印着的"小布伦特"问道。

"你认识我爸爸？"

"当然认识。"两个人聊了起来，说起了布伦特的父亲老布伦特。"你爸爸可是个大好人。你要是也和他一样……哦，那你再给我说说那套西装吧。"

布伦特做成了这笔生意。当天晚上，布伦特给爸爸打去了电话，叙述了事情的整个经过，当然不是因为卖出了一套衣服。他对爸爸说："我要谢谢你，爸爸！你给了我一个让我感到自豪的名字。"

放下电话，老布伦特老泪纵横，百感交集。他在想，尽管他这一辈子也曾干过很多蠢事，可他毕竟没有玷污自己留给儿子的姓名。

成长的滋味

牵手阅读

我们来到这个世上，获得一个名字，从此开始以我们的一切来充实这个名字。在这个过程中，抽象的名字变得具体了，而具体的我们则慢慢得到了一个内涵丰富的符码。名字意味着什么？读完这则故事，我们知道，它可以是一位父亲以他毕生的努力来留给儿子的一笔取用不尽的财富。

# 走不出的母爱

　　离我们最近的母爱，总是最容易被我们无心地忽视、伤害；但它又总是可以无视我们的无视，无视我们的伤害，仍然默默地坚持着那份世俗而又神圣的爱。有一天，我们以为自己已经走得很远很远了，等我们回过头来看，离我们很遥远也很近的母亲，仍然像许多年前我们还坐在她的膝上时，俯身向我们微笑。

# 秋天的怀念

史铁生[1] 著

　　双腿瘫痪后，我的脾气变得暴怒无常。望着望着天上北归的雁阵，我会突然把面前的玻璃砸碎；听着听着李谷一甜美的歌声，我会猛地把手边的东西摔向四周的墙壁。这时，母亲就悄悄地躲出去，在我看不见的地方偷偷地听着我的动静。当一切恢复沉寂，她又悄悄地进来，眼边红红的，看着我。"听说北海的花儿都开了，我推着你去走走。"她总是这么说。母亲喜欢花，可自从我的腿瘫痪后，她侍弄的那些花都死了。"不，我不去！"我狠命地捶打这两条可恨的腿，喊着，"我活着有什么劲！"母亲扑过来抓住我的手，忍住哭声，说："咱娘儿俩在一块儿，好好儿活，好好儿活……"

　　可我却一直都不知道，她的病已经到了那步田地。后来妹妹告诉我，她常常肝疼得整宿整宿翻来覆去地睡不了觉。

　　那天，我又独自坐在屋里，看着窗外的树叶刷刷地飘落。

①**史铁生**，生于1951年，当代作家。

母亲进来了，挡在窗前："北海的菊花开了，我推着你去看看吧。"她憔悴的脸上现出央求般的神色。"什么时候？""你要是愿意，就明天？"她说。我的回答已经让她喜出望外了。"好吧，就明天。"我说。她高兴得一会儿坐下，一会儿站起："那就赶紧准备准备。""哎呀，烦不烦？几步路，有什么好准备的！"她也笑了，坐在我身边，絮絮叨叨地说着："看完菊花，咱们就去'仿膳'，你小时候最爱吃那儿的豌豆黄儿。还记得那回我带你去北海吗？你偏说那杨树花是毛毛虫，跑着，一脚踩扁一个……"她忽然不说了。对于"跑"和"踩"一类的字眼儿，她比我还敏感。她又悄悄地出去了。

她出去了，就再也没回来。

邻居们把她抬上车时，她还在大口大口地吐着鲜血。我没想到她已经病成那样。看着三轮车远去，我也绝没有想到那竟是永远的诀别。

邻居的小伙子背着我去看她的时候，她正艰难地呼吸着，像她那一生艰难的生活。别人告诉我，她昏迷前的最后一句话是："我那个有病的儿子和那个还未成年的女儿……"

又是秋天，妹妹推我去北海看了菊花。黄色的花淡雅，白色的花高洁，紫红色的花热烈而深沉，泼泼洒洒，秋风中正开得烂漫。我懂得母亲没有说完的话。妹妹也懂。我们俩在一块儿，要好好儿活……

**牵手阅读**

这一篇短短的散文，写母亲，写我对母亲的怀念，每一个字都很朴素地静静地立着，但每一个字都让我们动容。自始至终，作者没有用哪怕一句话来直接表达对母亲的感情。这份感情太深，太浓，早已超出语言可以表达的范围，但文中与母亲有关的每一个细节，又都浸润着这份深浓的感情。当我暴怒地摔砸东西时，母亲只是"悄悄地躲出去，在我看不见的地方偷偷地听着"，等一切安静后，"又悄悄地进来，眼边红红的，看着我"；当我终于答应去看北海的菊花时，母亲流露出如孩子般的欣喜，旋即又敏感地刹住了与"跑"和"踩"有关的话题，"悄悄地出去了"。这是一位尝惯艰辛的母亲，在努力用她自己的方式，默默地、细心地照看着她的孩子，却从不在意自己的痛楚和悲伤；这也是那个失去母亲的孩子，在努力用自己的文字，记住与母亲有关的每一个细节，每一个细节都是对母亲永远的爱和怀念。

成长的滋味

庞敏① 著

# 忆母亲

我弟弟九个月的时候，我娘死了，那时我两岁。

据爸爸说，娘长得年轻漂亮，死的时候二十三岁。

这使我常常感到欣慰。

想起来，没有娘，是多么自由痛快。记得我读三年级的时候——不知为什么，记起童年的许多乐事，大都发生在三年级，而且常常下雨。

那是深秋的一天，下了很多雨，很冷。我和弟弟在屋檐沟里玩水，一人手里一根棍子，呼的一声抽下去，啪的一声爆起来。喷泉一样的水珠啊！这使我们很快活，我们比赛似的，长长一溜屋檐水被我们抽得精光，就像馋猫舔过的鱼盘子。这时，隔壁的大着肚子的香嫂子挑了一担水，挨上码头来。弟弟举起黏糊糊的泥棍子，涎着脸说："香嫂子，你赌不赌我把这根棍子放到你的水桶里？"

---

①庞敏，女，生于1968年，儿童文学作家。

香嫂子站住脚，两手扶住两头的钩子，说："赌你！"

我站旁边，心里想：这女人，怕我们不敢还是怎的！

弟弟把棍子举得更高一点："真的赌？"

香嫂子脸渐渐红了，眼珠子一瞪："真的赌！"

"那我真的会放啦。"弟弟上前一步说。

香嫂子一张脸变得通红："你敢！"

弟弟鼻子里滑出轻蔑的笑声，手往下一落，一搅，一桶清水立刻变得浑黄。

香嫂子把桶子一顿，抢起扁担就扑，我发现香嫂子的牙帮骨一直是咬得紧紧的。"快跑！"我对着弟弟哈哈大笑。

弟弟撒开脚丫子就跑。赤脚板就像刚出炉的烙铁，踩得脚下的水洼洼哧哧地叫，掉了扣子的灰布衣像折扇一样，一收一扬，油光光的，沾不上一星半点的水珠。

"你不跑还好，你要跑，老子今天非得抓住你不可！"香嫂子摇晃着大肚子，气喘吁吁，铁钩钩撞在竹扁担上，发出咣当咣当的响声。

弟弟回过头来，冲她挑衅地笑。这时，只见他身子往前一倾，扑在泥地上，待他爬起来，香嫂子已从后面抓住了他的衣领，一提，对着面，挥手就是两个耳光。

我万没料到弟弟会挨两个耳光！我把手里的泥棍往香嫂子的另一桶清水里一放，朝弟弟跑去。

弟弟粗糙得像灯芯绒的两颊，一面五个红红的手指印，我站在他面前："你怎么会摔了一跤呢？"

弟弟胆怯地望着我："我忘了，我踩着了我们挖的这个洞眼。"他指着脚下对我说。那洞已经挖了很久了，现在积了满满的水，浮着黑黑的一层东西，不知是猫屎还是狗屎。

我拉着弟弟的手，说："算了！回去吧。"

　　"可怜的，没娘崽！"我们回过头去，河边上的张孤老倚着门框，扯起她的宽厚的大襟衫沾沾眼角，"救得娘在世，自己的儿女哪有让别人打的哟，要是我的崽女……"

　　我眯起一只眼，冲她做个不屑的鬼脸。我的娘年轻又漂亮！

　　弟弟说："要娘干什么？我们没有娘，不是也很好吗？对吧，姐姐？"

　　是呀！香嫂子这样的恶婆娘，宁可不要的好呢。她家的小辉、小梅，骂也被骂得要死，打也被打得要死。香嫂子给他们缝了新鞋袜、新帽子，原就是可以因此打他们的。嘻！他们也真傻，怎么还叫她"娘"呢？

　　我看了弟弟一眼："我们才不稀罕哪！你说是吧，弟弟？"弟弟顾不上擦满脸的泥汤，连忙说："是的。"


　　又是一个静静的冬天，下着指甲那么小小的雪花，天上地上都是静静的。屋檐口、电线上，麻雀的叫声也是悄悄的，这使我们很扫兴，感到很寂寞。

　　我们站在台阶上，背抵着墙壁，看着雪花从很远的天上来到我们眼睛里，远远的村庄都静静地披上了雪装。我们都不讲话。

　　好久，弟弟忽然说："姐，要是雪花落到身上暖烘烘的，那我情愿天天站在这里挨冻。"

　　"怎么会呢？"我望着远处河沿杨树枝上挂着的冷冷的冰凌，小声说，"我只想我们永远这样站着，终于，我们快要死了。这时候，我们身后突然站着一个仙女，她说：'可怜的孩子，快进屋去吧，我为你们烧了一堆永远温暖的火，做了香喷喷的大米饭，还有热腾腾的辣椒汤……'"

　　"可是我们应该站着不动，我们已经失去了知觉。对吧，姐姐？"弟弟急急忙忙地问我。

"那当然！可是你听仙女又说：'孩子，你要再不进去，我就要伤心了。'她说的时候，还哭了呢。"

"那我们就进去吧。"

"不！不要急嘛。仙女她又说：'亲爱的孩子，你们一定没有力气走路了，来，让我抱你们进去吧。'"

"可是她抱得动吗？"

"她会使劲儿抱呗！"

"可怜的仙女！"弟弟垂下眼睑，又抬起眼睑，"姐姐，让仙女抱着一定很舒服吧？"

"当然啦。从那以后，仙女就住在咱们家，她不会像妈妈一样二十三岁就死去，也不会像爸爸一样常常不待在家里。我们有吃不完的饭菜，有穿不旧的衣裳，有很多很多的玩具、图书。"

"有天上的星星那么多，地上的渣子那么多，对吧，姐姐？"弟弟愉快地响应着，"要是仙女哪一天走了呢？"

我心里一想：就是呀！于是我结结巴巴地说："那……那……那个时候我已长大了。"说着，我理直气壮地伸了伸腰。"那个时候我什么都有了。"

弟弟挨紧我："姐姐，等你长大了，就给我买一把枪，比小辉的那把还长、还大的枪。"

我使劲点点头："等我长大了，等我有了孩子，我要坚决不死，天天只和他们在一起！"

做晚饭的时候，弟弟往灶膛里扔了一把柴火，站起来，隔着烟雾大声说："姐姐，我忘了告诉你，等你长大了，也不要离开我！"

"我保证！"我说，"可这一餐又没有菜。"

"我有！这儿有！"弟弟说着举起两棵大白菜，菜叶上的冰化了，很是苍翠。

成长的滋味

"哪里弄来的？"

"偷的！"他附在我耳边，小声说，"可能是香嫂子家的。"

"要是她知道了，我们可怎么办哪？"我一边洗菜，一边问他。

"姐姐，这里还有辣椒呢！"他递给我辣椒，又伏在灶台上洗锅，"反正我们吃了不认，她也找不到。让她去骂好了。"

我们高高兴兴，吃得心满意足。

"真是难得一回吃这么多菜呀！"弟弟放下筷子，眼皮开始打架了，他坐到灶台脚下，"姐姐快洗碗吧。"

我也觉得睡意沉沉，把碗堆到锅里，浸上水："明天洗吧。"掌了灯，准备去睡，却见弟弟仰在柴堆上，微张着嘴，睡着了。

我蹲下去，一手捏住他的鼻子："喂，醒来！醒来！"

他嗯了一声，又睡到另一边去了。我放下灯，准备搡他几下，却见他突然眉舒舒的，仿佛在轻轻地笑。

我站起身，外面风很大，树尖子好像在承受着巨大的迫害，呜呜地叫唤。我两手夹在腋窝里，看一眼熟睡的弟弟，我莫名其妙地想点根烟，夹在食指和中指间，然后那么来来回回地走动。结果，我把被子搬到灶台脚下，盖在弟弟身上，我也挨着弟弟躺下去，弟弟也像往常一样靠过来，将手搭在我背上，迷迷糊糊的，我觉得我有了孩子，弟弟成了一个孩子，像一个只穿着红兜肚的小小的红孩子。

第二天早晨，香嫂子捶得门板乒乓响成一片，我睁开眼，扭头去看弟弟，弟弟也正扭过头来看我。

"怕什么！"他一跃而起。

怕什么呢！我也站起来。

香嫂子后面跟着张孤老。"你们这两个贼子，又偷了我的白菜！"

我梗着脖子："我们没偷！"

"对！我们根本就没有偷！"弟弟往我旁边一站。

"孙猴子还逃得出如来佛的手心？"她熟门熟路地直往门角落、柴堆里瞅，"我今天要是不在这里找出来就不是香嫂子！"她站在灶台边，就要揭锅盖子。

"哎呀，香嫂子你快来看！"张孤老的声音让我们都吓了一跳，"小梅衣裳没穿就跑出来了。"

"小梅！"香嫂子赶忙像着了火似的奔出门去，"这个剁手爪子死的死丫头！"

张孤老看我们一眼，也像着了火似的慌慌张张地跑了。

于是，张孤老就常常给我们送来一碗乌黑乌黑、喷香喷香的干菜叶，有时也送辣椒，也送白菜。遇上我们对她亲热一点，她就要拿着印有蓝花花的粗瓷碗，站在门框边，扯起她的宽厚的大前襟，沾沾眼角："没毛毛的鸟鸟天照应咧！要是救得娘在世，唉……"那眼睛里，仿佛要伸出手搂我们进去似的。她又常常蹲在我们面前，捏住我们的手，瞪大眼珠子四顾左右："跟你娘一个模子印出来的呢。你娘也是这样，啧，漂漂亮亮！"

有一回，我和弟弟吵架了，互相说好了一生一世再不理睬了。我们正在各生各的气，张孤老出现在门框边，手里又端着一碗堆得冒尖的干菜叶，她看着我们，进也不是，退也不是。

我抬起头，扬起一只眼睛看她："哪个要你的？端回去吧！"我扭转头，听见她短促的喘息声和急切的脚步声离开了门边。这声音传进我耳朵里，也像有一股引力，我扑到门边："你回来，你不要走，不要走嘛！"

张孤老一个趔趄，回转脸，眼睛大得吓人，我忽然觉得张孤老这个样子很使我满意。我对弟弟说："拿碗来。"我们端着碗，双双走向她，我又感到很心酸，想哭。"你刚才不会生气吧？我们刚才吵架了，不是冲你生气的。"

张孤老显然还没有回过神来，然而我变得十分平静了，我第一次感觉到了当面认错后的那种心灵上的安宁。再看张孤老，不，张大娘的时候，我发现她竟是那样慈祥、善良。

我赶忙拉起弟弟的手往回跑，弟弟一点也没挣扎。

我们以后再也不要见到她了，我心里想。

好多天后，弟弟说："姐，仙女有时候也会变得又老又丑的吧？"我没有做声，因为我早就这么想过了。

现在，弟弟已是英俊少年，我也在读高二，快上高三了。有一次放假我们聚到一起了，在天井里的石桌子旁喝葡萄酒。那时月满中天，照耀着人间的喜庆团圆。弟弟拿起酒瓶，又满了两杯，递一杯给我，他说："姐姐，只要踏上这乌黑乌黑、喷香喷香的故土，听见那位大襟衫对我亲亲热热地叫一声'儿啊'，我就害怕自己会狼狈而且恭敬地叫出那声'娘啊'！"

我连忙举起杯子，高过额头，和弟弟的杯子碰一下，然后仰面灌了下去。

## 牵手阅读

一对失去母亲的姐弟和一个没有孩子的老人，结下了一段特别的情谊。小说并不费力描摹姐弟俩与"张孤老"的交往，而是用大部分的篇幅来表现"我"和弟弟的顽劣和野性，这种颇无所谓的童年视角使"张孤老"的每一次出现都像一种无关的偶然，但细细品味，则会发现这种"偶然"中有着胜过各种文字描述的情感力量。小说中姐弟俩在没有娘的境况下所感到的"自由痛快"与他们关于"仙女"的想象之间，形成了一种有意味的叙事和情感上的张力。叙述者始终也没有说出哪怕一个深情款款的词语，但小说的题目和结尾的那一饮，比许多语言都更能说明一切。

曾小春[1] 著

# 丑姆妈，丑姆妈

很多年过去了，小镇还是原来的小镇。灰灰的一条街，长不过一截裤带，一色的麻条石板，一色的木板瓦屋。

丑姆妈在镇西的黑屋子里已住了许多年了。到底有多少年，谁也说不清，反正丑姆妈是一直住在那屋子里的。

丑姆妈走路一跷一跷的，瘦削的两肩一高一矮，好似舂米的碓子，眼圈烂得红花花的，淌着浊泪，睫毛被淹成蔫蔫的水草，头发则是一蓬枯乱的茅草。前些年镇上搞人口大普查，大家才发现丑姆妈的姓名、年龄、籍贯等等全都是未知。丑姆妈自己也糊涂了。

"几十年都这样过来了，还问这些做什么？"丑姆妈这样说。

丑姆妈的男人是个撑排佬，涨春水时，放排下赣州，就杳无音信了。那男人太能水了，这样的人多半是死在水里的，但这样的念头偶尔一晃，便泯灭了。丑姆妈呸呸地吐着唾沫，自己的男

①曾小春，生于1965年，儿童文学作家。

人总会回来的，她还没给他生个白白胖胖的崽仔呢，丑姆妈想。

老辈人还记得丑姆妈常常站在小镇码头的石阶上，穿着月白衫子，挽着油黑的发髻，银簪子斜斜地插着，落雨天还撑一把木柄的油纸伞，但那时的丑姆妈是苗条呢，还是漂亮呢，他们却全然淡忘了。

丑姆妈的左脚是摔坏的，这事儿人们也还记得。丑姆妈在码头上等男人归来，天黑时被石阶绊倒，左脚就咔嚓一声断了。请了郎中却没接正骨节，那腿就跛了。丑姆妈昏天黑地哭泣了几天几夜，从此，眼圈开始糜烂不堪。

后来，山上的树被砍光了，浩渺的江水日渐枯瘦下去，成了一条微弱的浅河。戈壁似的沙滩上搁浅着大小木船，它们倒扣着，好像一串螃蟹。青石砌成的码头石阶，不知被谁撬走了。

自己的男人也许真的回不来了。丑姆妈不再等待。

她开始拾破烂。她的烂眼圈从地上一寸寸移过，搜寻那些破布烂袜子、胶鞋底子、酒瓶子、牙膏皮子……凡是能卖钱的，她都拾掇起来，摞在破屋子里，再卖给小镇的废品回收站。

未跌坏腿之前，丑姆妈很长一段时日里都在给那些忙于生育的母亲们做保姆，而且从不拘工钱的多少。丑姆妈最大的乐趣是逗孩子，只要是孩子，她都喜爱。

对于丑姆妈来说，孩子的笑声、哭闹声，连被孩子尿湿衣服似乎也都是一种微妙的享受，抱孩子、哄孩子、洗尿布屎片似乎能多少满足她做母亲的欲望。孩子的父母不在的时候，丑姆妈会掀起衣襟，给嗷嗷待哺的孩子"喂奶"。看着孩子的头像牛犊似的一拱一拱的，丑姆妈便会发出醉心的笑声。

馋嘴的孩子更是把丑姆妈围得团团转，赛着劲儿喊她"姆妈，姆妈"，拿晶亮的眼睛看她。丑姆妈怡然微笑着，变戏法似

的在他们肉嘟嘟的小手上点三五粒花花绿绿的珠珠糖，给孩子唧唧喳喳的惊喜。

自从丑姆妈烂了眼圈，跛了脚，年轻的母亲们便不再让孩子们亲近她了。丑姆妈也很知趣，只是远远地用柔柔的目光抚摸那些她抱过、亲过的孩子。窄巷相遇，孩子们仍喊她一声"姆妈"，但声音是怯怯的，丑姆妈则亮亮地应一声："唉！这孩子几好几乖！但我是丑姆妈，拾破烂的丑姆妈，你嫌吗？"

"丑姆妈，丑姆妈……"孩子们觉着有趣，就这样顺口叫开了。不久，小镇的大人也一并"丑姆妈，丑姆妈"地叫起来。

但丑姆妈不是母亲！

丑姆妈的命是太苦了！

那么，丑姆妈捡了大半辈子破烂，攒下一笔数目不小的款子，却不见她好好儿吃穿什么，又何苦呢？小镇人不晓得丑姆妈是个什么想法。

丑姆妈翻着红花花的烂眼圈，跷着腿从人们探询的目光中高低不平地走过。

当丑姆妈一跷一跷地回到小镇的时候，人们才想起来有好些日子没见到丑姆妈了。


"丑姆妈，你去了哪里？"

"我是接儿子去了。"丑姆妈竟有点羞涩。

咦？这时，丑姆妈身后站出一个六七岁光景的小男孩，瘦条条的，两只眼睛正亮亮地一闪一眨地看那些惊奇的人们。他歪着头，皱起小鼻子，嘴一咧，嘻嘻笑，一闪又缩到丑姆妈身后去了。

这孩子还蛮灵气呢！

只是，丑姆妈什么时候有过儿子呢？

小镇人用眼睛问丑姆妈，丑姆妈静静一笑，牵着小男孩的手走进暮色中去。

丑姆妈请了泥水匠，把那间黑屋子粉刷得雪白，又添了几件家具。屋顶上冒起了温馨的淡淡炊烟。

不久，人们打探到，那孩子是丑姆妈从城里的孤儿院领出来的。

那孩子也真是机灵可爱，不几日就与街坊四邻的孩子混得稔熟。因为长得单薄，孩子们就叫他"瓦片"。丑姆妈不计较，以为孩子的名字贱一些，命就耐磨，也随着"瓦片"、"瓦片"地叫。

丑姆妈很高兴，脸颊上浮着两朵红晕，眼圈还是红花花的，但干爽多了。她也不再捡破烂了。丑姆妈做母亲了！

每日早饭刚过，母子俩一老一少、一前一后地走在小镇的麻条石街上。

"那是什么呢？丑姆妈。"瓦片问。

"那是风车。谷子从上面的斗子倒下去。摇动风车叶子，喏——"丑姆妈把瓦片牵到风车前，很耐心地告诉她的孩子，"饱满的谷子就从下边这个小漏槽淌出来，瘪谷子是从左边那个大歪口子飞出去的。"

瓦片的黑眼睛亮亮的，走上前握住风车把子，要吱呀吱呀摇。丑姆妈却把他抱走了。

"丑姆妈，你让我摇吧。"

"瓦片，摇不得，你一摇，肚子就要疼的。"

"真的？"

"那是一架空风车呀！摇空风车，肚子就会疼。"

在牛市，瓦片看见了牛，就要去摸牛的角。

"儿啊，摸不得，牛的角摸不得，一摸，牛就要动怒的，牛的角就会犁破人的肚皮。"丑姆妈捏紧瓦片的手。

小镇的四季都有山里女人卖野果子，瓦片问过这些野果子的名字后，就嚷着要，吃得小嘴红红的紫紫的，有时连皮带核都吃了。

"哎呀！瓦片，你怎么把果子核都吃了？快吐出来，要不头上要长出树来的。"

瓦片嘻嘻笑。丑姆妈就伸手去抠孩子的嘴，把果核挖出来。

小镇的街是很窄的，小镇人晒衣服时把竹竿搭在两边的屋檐上，衣服像旗子一样在风中鼓荡着。丑姆妈拽着瓦片绕着那些裤子过。

"那是女人的裤子，男孩子从下面走就不要想长高了。"丑姆妈说。

可瓦片还是一个劲儿地蹿高了，他的头上也没长出杨梅树，他把空风车摇得呼呼叫，肚子照样不疼……

不知从什么时候开始，瓦片不愿再待在家里，听丑姆妈零碎的絮叨。碗一搁，嘴一抹，人就去外面了，而且是越来越野气了。更让丑姆妈慌神的是，瓦片还跟着那帮孩子到河边的柳荫里去逮蜻蜓，赤条条地跃入浅水里"狗扒沙"，丑姆妈是恨不得一根绳子把瓦片系在裤腰上。

"瓦片，命根儿，回家转哪！"丑姆妈拖着残腿，吃力地在小镇走来走去，沙哑地喊着。

瓦片只当没听见，一溜烟地没了踪迹。有时，碰巧给丑姆妈逮住了往家里拽，瓦片就赖在地上不肯走，还哭嚷着：

"丑姆妈，你放开我。"

丑姆妈不松手，声音里透出乞求，颤颤地说：

"儿啊，儿啊，你要听娘的话。"

"你放开我，我不要你这个丑姆妈！"瓦片又踢又撞，像一头小驴子。

丑姆妈还是不放。瓦片就对着丑姆妈手背咬了一口，啾地大叫一声，逃脱了。

丑姆妈捂着那圈紫黑的齿痕，眼泪吧嗒吧嗒地落下来，烂眼圈愈加血红。

小镇人叹着气："丑姆妈，你何苦带一个别人的孩子，吃这份苦？那孩子也不像话！'丑姆妈'是他做儿子的叫的吗？"

丑姆妈抹着泪说："我是丑姆妈，这不打紧，我只怕这孩子有个三长两短的……"

人们就说："做母亲的哪能这样宠孩子？瓦片这样不打是不行的。"

当初的丑姆妈就是看中了瓦片的调皮劲儿，她最爱活泼的孩子，却没想到调皮的孩子往往是不大听话的，另外，丑姆妈还从未想过孩子是可以用打的法子去调教的。

因此，当晚丑姆妈捉住瓦片，抖着手，扬起巴掌时，这巴掌怎么也落不下去。最后，丑姆妈一狠心，在瓦片的屁股蛋上打了两巴掌，但声音没打出来。

瓦片却杀猪似的号哭起来。丑姆妈的心慌慌的。

"儿啊，莫哭，莫哭，娘是为你好啊……"

瓦片泪痕满面，丑姆妈心疼得不行，转身去取毛巾给瓦片擦脸，瓦片却跳出门外，融入墨黑的夜色中。

丑姆妈双脚一软，瘫在门槛上，凄厉地喊了声："瓦片儿——"她望着门外混沌的夜，失声呜咽了。

四周的街坊邻居被惊醒了，执着火把四处找寻。火光中人影幢幢，呼唤声、狗吠声、阵阵的锣声远远近近地叠响着。大家一直折腾到后半夜，才在一堆干草垛中翻出了熟睡的瓦片，他脸颊上残留着两滴泪珠，鼻翼歙歙抽搭。

丑姆妈跌跌撞撞地爬滚过去，连草带人地把瓦片拥入怀里，哭喊一声："我的儿啊……"

丑姆妈昏死过去，双手却死紧地抱着瓦片。

人们只好把他们娘儿俩一同抬了回去。

日子过得很快，也很慢。丑姆妈的背脊有些佝偻了，还咳

嗽。瓦片渐渐习惯了静坐，有时给丑姆妈捶胸捣背，帮助丑姆妈把喉咙深处的老痰咳出来。有瓦片在身边，丑姆妈的心就稳稳的。只是，瓦片有时会定定地看着一个地方出神。

"瓦片，你在想什么？"丑姆妈问。

"丑姆妈，你晓得我的娘在哪里吗？"瓦片眼神幽幽地看着丑姆妈。

丑姆妈的心咯噔一下："儿啊，我就是你娘啊！"

瓦片摇摇头："你不是，你是丑姆妈。"

丑姆妈嗫嚅着："你的娘把你丢在垃圾箱里，就不见了。"

"那她会来寻我吗？"

"你娘不要你了，要不，怎么会扔了你呢？"

瓦片的眼神黯淡下去，片刻，他又问："丑姆妈，你怎么会要我呢？"

"丑姆妈要你做儿啊！"丑姆妈说到这里，把瓦片搂进怀里。

"可你不是我亲娘啊……"

丑姆妈叹了一口气，粗糙的手摩挲着瓦片的头。

夏天快过去的时候，来了一个白净的高个子男人。丑姆妈听说他是从学堂里来的，就叫他"先生"。

"'先生'是什么？"瓦片问。

"先生是教人认字算数的。"丑姆妈说。

先生问瓦片几岁了。丑姆妈这才想起瓦片来小镇有两年多了。瓦片有九岁了。

先生说，这孩子该进学堂了。

瓦片伏在丑姆妈膝上，黑眼睛在先生的脸上瞄来瞄去，似乎听到钟声与诵书声的悠扬，看到操场上跳皮筋的小女孩、空中斜飞的快乐的纸飞机……

"瓦片，你怕竹片条子打掌心吗？"丑姆妈问瓦片，"背不出书，先生就要打的。"

"先生不打我，是吗？"瓦片歪着头，笑嘻嘻地问先生。

先生伸出一根白皙的长手指刮了一下瓦片的鼻子，说："现在不兴打手心了，那是旧的做法。"

丑姆妈很是吃惊："是吗？是吗？"

"明天就开学了，带孩子来报名吧。"先生说完，一摆一摆地走了。

丑姆妈想给瓦片做个书包，却发现眼睛老得不好使了，只好去店里买了一只黄挎包。

瓦片就背着空书包从小街一跳一跳地跃回家里。

晚饭后，丑姆妈在灶台上炷了三根线香，揖着手，鸡啄米似的拜了三拜，口里念念有词。瓦片看了直发笑。

"儿啊，在学堂不是在家里，要听先生的话。"

"嗯。"

"儿啊，上学的路上不要玩，过沟过坎不要一马跳。"

"嗯。"

"儿啊，下学了早回家，娘在家里等你吃饭。"

"嗯。"

丑姆妈升起炉子，把钢精锅子坐上去。锅里盛着一只子鸡。在小镇，上学的孩子都要吃鸡头鸡翅，那样，读书郎子就会有出息的。

丑姆妈把新衣、新裤、新布鞋叠放在床头。

"学堂就在镇东头的祠堂里，儿记得吗？"

"记得。"

"记得就好。明早你要起得早，娘不能送你去。"

"我晓得。"

丑姆妈下午买书包时告诉瓦片，第一日上学是不能遇上女人的，否则要触上晦气，因此明儿要早起，趁女人们还在梦中，到

学堂去。

丑姆妈把一只纸灯笼别在门上，里面插了截蜡烛。瓦片晓得那是照路用的。提着这盏圆圆的小灯笼，黑夜就会让出一条白晃晃的路来。

"瓦片，你睡吧，早点睡吧。"丑姆妈做完许多事，坐在床沿给瓦片打扇子。

"丑姆妈，你也睡吧。"瓦片拉着丑姆妈的手。

丑姆妈淡淡地说："你是读书郎子了，娘从今就不能与你睡一张床了。"

瓦片说："因为你是女人吗？"

丑姆妈笑了笑，给瓦片放下蚊帐，用蒲扇把几只嗡嗡叫的蚊子驱了出去。瓦片迷迷糊糊合上了眼皮。

灶台上的油灯裂出几瓣灯花，那是一盏长明灯，燃到天亮也不会熄的。风在窗外像个流浪汉一样孤独地踱过来，踱过去。

丑姆妈躺在另一张床上，听着瓦片轻微的鼾声，怎么也睡不着。锅子里的炖鸡在汤水的咕嘟沸响中沉寂下去。

风消失了。星子淡淡褪色，宁静的夜深处那一声等待中的鸡鸣歌子似的唱起来。丑姆妈隔着帐子把瓦片推醒了。

丑姆妈从帐子细密的网眼中看见瓦片窸窸窣窣地穿衣，然后洗脸，掀开锅盖，开始啃鸡腿。

"丑姆妈，我到学堂去了。"瓦片对着丑姆妈睡的床说。

丑姆妈躺在床上不做声。丑姆妈在这个日子是不能与瓦片说话的，但她看见瓦片走过来了，伸手要拉帐子。丑姆妈忙把蚊帐的口子拉得严严实实的，不让瓦片看见自己。

瓦片转过身去，背上空书包，取下门上的灯笼，把蜡烛点亮了，一轮圆圆的光晕，泻出月似的温馨。

瓦片拉开那扇嘎吱作响的门，对着茫茫夜海，伫立着，突然转过身来：“丑姆妈，我走了啊！”

丑姆妈看见瓦片的脸上爬着两行晶莹的泪水。

瓦片把门带上。丑姆妈抓着帐子的手缓缓松了。

狗子吠起来，一行怯怯的足音响起又逝去。

丑姆妈的心突突地跳。别人的孩子都是父亲送去学堂的，瓦片却孤零零地去。那狗吠一声声咬在丑姆妈的心尖上。

丑姆妈从床上爬起来，看见一颗星子曳着流光从窗口划了过去。丑姆妈“呸呸”几声。

丑姆妈拉开门。小镇似一条睡熟的小狗蜷伏在夜中。丑姆妈走下台阶。她要跟在孩子的身后，悄悄送瓦片进学堂。

“丑姆妈，丑姆妈，我在这里呢！”

丑姆妈身子一颤。一条黑影从窗下蹿过来，紧紧抱住了丑姆妈的腰身。那纸灯笼插在地上，没有了如月的烛光。

这时，天微亮了。

晨曦中，水淋淋的太阳就要从河滩上冉冉升起……



## 牵手阅读

小说中的“丑姆妈”是一位被苦难压得丑了、瘸了、驼了的妇人。她把属于一个乡间妇人的全部的关心和疼爱都倾注在了养子“瓦片”的身上。“丑姆妈”的形象是许多传统的乡间普通劳动妇女的缩影，在她们身上有一种天然的母性，使她们本能地把付出看做一种最大的幸福。我们或许很难用“伟大”一类的字眼来形容小说中的这位“丑姆妈”，因为在她身上仍然积存着千百年来一代代乡间妇女自己帮忙铸就的沉重的精神枷锁。但正是这一点使“丑姆妈”的形象显得更为真实。“丑姆妈”感动我们的地方不在于她的高尚，而在于她的平凡，不在于她有多么伟大，而在于她即使愚昧，即使懦弱，也默默地坚守着那份一定要付出的爱的善良。

[苏联]
克拉夫琴科 著
胡丽华 译

# 妈妈

一天晚上，我到朋友家去串门。我们坐在沙发上，天南海北地闲聊起来。突然，房门大开，我那位朋友的小儿子站在门口，哭喊着："妈妈！妈妈……"

"妈妈不在，"朋友从沙发上站了起来，"妈妈上班去了。你怎么啦？摔了一跤？自己摔的，是不是？那还哭什么！"他给儿子擦干眼泪，说："好啦，玩去吧！"

儿子走后，朋友抱怨开了：

"总是这样！一张嘴就'妈妈'、'妈妈'地喊。你知道，有时我心里真不好受。好像我不如妻子疼爱他，好像我们这些当父亲的除了处罚孩子，什么也不会干。其实，我常常给他买玩具，疼爱他……你说，为什么小孩儿全都这样？"

我耸耸肩，说："如果家里没有母亲，那孩子肯定就只叫父亲了。"

"没错儿！"我的朋友深表赞同，"就拿我来说吧，从小没有母亲，所以我向来只叫爸爸。"

我正要告辞，朋友的妻子下班回来了。他们的小儿子就像被魔杖指了一样，飞奔到母亲跟前，诉说他刚才怎么摔了跤，摔得多么疼，又怎么哭了。母亲又是摩挲他的头，又是吹他摔疼的手，还不住地亲吻他。

我那朋友皱着眉头看着母子俩，嘟哝道："真够黏糊的，简直没完没了……"

没过两天，我那位朋友干活时从脚手架上摔了下来。我们把他抬到工棚，并且叫来了急救车。他在昏迷中嘴里只是不住地念叨："妈妈……"

## 牵手阅读

我想，这篇小小说的意思绝不是说母亲比父亲好，或者母爱比父爱深，但它让我们看到，对温柔的母爱的渴求，是怎样扎根在我们每一个人的心里的，包括小说中那位"从小没有母亲"的朋友。这篇作品从日常生活起笔，叙事看似漫不经心，却始终在为最后情节的转折和情感的升华做紧凑的铺垫。果然，在小说结尾，作者将笔锋一转，在掣住文字的同时，也留给我们很大的回味空间。

成长的滋味

# 在父与子之间

在父与子之间，有一条很特别的情感的连线，这里常常没有太多的语言和太细密的温存，却充满了理解和信赖的力量。"父亲"是一个令人敬畏的称呼，对儿子来说，父亲就是整个世界的开启者；而对沉默的父亲来说，自己所有向前的努力，只是为了那个始终站在他身后的儿子。

尹玉生 编译

# 特别棒的人

　　我爸爸说我是一个特别棒的人，我想知道我是不是真的很棒。

　　一个特别棒的人……萨拉说："你需要有一头像我一样漂亮的鬐发。"我没有。

　　一个特别棒的人……嘉斯汀说："你必须有一口像我一样整齐、洁白的牙齿。"我没有。

　　一个特别棒的人……杰西卡说："你的脸上不能有那些棕色的小点，就是雀斑。"我却有。

　　一个特别棒的人……马克说："你必须是七年级最聪明的家伙。"我不是。

　　一个特别棒的人……斯蒂芬说："你在学校里必须最会讲有趣的故事。"我不会。

　　一个特别棒的人……劳伦说："你必须在城里和最好的邻居生活在一起，并且住在最漂亮的房子里。"我没有。

一个特别棒的人……马休说："你必须穿最酷的衣服、最流行的鞋子。"我没有。

一个特别棒的人……琼说："你必须来自一个高贵的家庭。"我不是。

但是，每一个晚上，临上床之前，爸爸都会给我一个有力的拥抱，并且对我说："儿子，你棒极了！我爱你。"

爸爸必定知道一些我的朋友们所不知道的事情。

## 牵手阅读

"我"是不是真的很棒？尽管"我"看上去一点也不符合"很棒"的世俗标准，父亲却用言语和行动给了"我"最重要也最有力的肯定的回答。文章之所以用大部分的篇幅来一一否定"我"是一个特别棒的人，恰恰是为了凸显父亲最后的那个肯定。我想，对作品里的"我"来说，父亲的肯定，也就是全世界的肯定。

佚名

# 给儿子的信

成长的滋味

　　如果从哪天起，你看到我日渐老去，身体渐渐衰弱，请耐着性子试着理解我。如果我吃得脏兮兮的，也不会自己穿衣服了，请你对我有点耐心。我也曾花了很长时间来教你学会这些事情。

　　如果我总是向你诉说同样的事情，请不要打断我，听我把话说完。在你还很小的时候，我也要一遍又一遍地给你读着同样的故事，直到你安然入睡。

　　要是我不想洗澡，你不要羞辱我，也不要责骂我。你小时候，我也曾编出许多许多的理由，只为了哄你洗澡。

　　当你看到我对新技术一无所知，请给我一点时间，不要嘲笑我。我曾教会你多少事情啊，如何好好儿地吃、好好儿地穿，如何面对你的生活……

　　如果交谈中我忽然失忆或不知所云，请给我一点时间让我回想要说的话。如果最后我还是想不起自己要说什么，也请你别焦虑，因为对我来说，重要的不是我们谈话的内容，而是你能陪在

我身边，认真地倾听我内心的话。

当我不想吃东西时，不要强迫我吃。我知道自己该什么时候进食。当我的腿不听使唤时，你要扶我一把，就如同我曾扶着你踏出你人生的第一步。

试着了解我已是风烛残年，来日可数。有一天你会发现，即使我有许多过错，但我总是尽我所能给你最好的。

当我靠近你时，不要觉得感伤、生气或无奈。你要接近我，如同我当初愿意帮你展开人生一样地了解我，帮我。扶我一把，用爱跟耐心帮我走完人生。我将用微笑和我始终不变的无限的爱来回报你，我的孩子。

## 牵手阅读

《给儿子的信》其实是一篇散文，思考的换位让我们看到父亲们曾经为儿子们所做的一切，这其实也是每一位年长者曾经为他们的孩子所做的一切。它提醒我们，应当像对待孩子那样耐心地对待老人，因为每个老人都曾经这样照顾过他们的孩子，而每个孩子，终有一天也会成为老人。

[苏联]
阿纳托利·阿列克辛[1] 著
刘璧予 范彬 曹缦西 译

# 您的身体好了吗？

成长的滋味

外婆认为我的爸爸是个倒霉的人，这个想法她并不直截了当地说出来，而是常常告诉我们，爸爸所有的大学同学，仿佛有意和人作对似的，都成了主治大夫、教授，或者起码也是候补医学博士什么的。谈到爸爸那些大学同学的成就，外婆总是高谈阔论，显得那么高兴。在这之后，我们家里就会一片沉寂，笼罩着忧郁的气氛。我们知道，爸爸是个"掉队的人"。

"尽管他们以前都请教过你问题，考试时你还提示过他们！"有一次，外婆感慨着。

"就是现在，他们也常把学位论文带来给他看。"妈妈轻轻地说，不知是为爸爸感到骄傲，还是想责怪他些什么，"他们有撰写科研论文的创作假期，而他已接连三年连例假都没有了，成天就是这个医院！手术，手术……别的什么也没有。哪怕弄张一个星期的病假证也好啊！生一场病，休息休息，有什么不

---

①阿纳托利·阿列克辛，生于1924年，苏联儿童文学作家。

行……"

妈妈的愿望很快就实现了：爸爸患了流行性感冒。

医生给他开了药，又说：

"还需要安静，安静……"

我们家的电话开始每隔两分钟就响一次。

"他的身体好了吗？感觉如何？"一些不熟悉的声音问道。

起先，我很恼火，这样会吵得爸爸不能睡觉啊！晚上，妈妈下班回来，我告诉她：

"今天电话大概响了二十次！"

"多少次？"妈妈又问了一句。

"三十次左右。"我答道，因为我突然觉得妈妈听到这个消息后很诧异，但她好像还很高兴。"他们吵得他没法睡觉。"我又说。

"我知道。不过，这说明他们很关心他。"

"那还用说！有的人差点儿都哭了……着急得很……我安慰了他们。"

"这是什么时候的事情？"外婆也感兴趣了。

"你恰好出去拿药了，要不就在厨房里……我也记不清了。"

"可能，电话确实来得很多。"外婆一边说着，一边用惊奇的目光往爸爸睡觉的那个房间看了看。

她没料到会有这么多人打电话来，她和妈妈都没有料到！

"爸爸生病了，这多妙啊！"我在心里嘀咕，"让她们知道……就会明白过来了，特别是妈妈！"是的，我特别想让妈妈知道，一些平时看起来好像和爸爸毫无关系的人是多么关心爸爸啊！

我说："有一次，我去照顾大学生尤拉，喏，就是住在隔壁单元的那个……你们记得吗？"妈妈和外婆点了点头作为回答。

"他也患了流行性感冒，人家也给他打电话了，但一天就两三个电话，再也不会多了，而我们家，简直铃声不断！"

这时，电话铃又响了。

"请原谅……"我在话筒里听到一个妇女轻轻的、压抑的声音，"是大夫在接电话吗？"

"他的儿子！"

"很高兴……您知道，我也有个儿子，他本来定在明天动手术，但是我想等到您的爸爸恢复健康，如果可能的话……请您问问他，如果可能的话……我只有一个儿子，我很担心。如果可能的话，我希望您的爸爸亲自……那我就放心了！"

"请您对他的妻子再说一遍，"我说，"也就是我的妈妈……我马上就喊她来！"

我把妈妈叫来了。

又过了一个小时或者四十分钟左右，电话铃声又响了，是一个男人的声音：

"请问是大夫吗？"

"他的儿子！"

"好极了！那么您不会不理解我的。我的老婆明天要切除胆囊，本来说好由您的父亲主刀。正因为知道是他主刀我才把她送进这家医院的，虽然我也有其他一些路子！他们答应了我，由您的父亲……可突然出了这么一件意外的事情！怎么能这样呢？应该让他早点恢复健康！或许，他需要什么特效药吧？缺少什么药？我倒能……总之，我要等他开刀！这不是在剧院，可别给我安排个B角……"

"请把您说的这些话告诉他的妻子，就像您刚才对我说的那样……一字不差，就那么说。也许，她能帮上忙。"

我又把妈妈叫来了。

接连几天，我对所有关心爸爸病情的人都说：

"现在还很难说，您晚上再打电话来吧。那时，他的妻子正好在家，她会把一切情况都告诉您的……"

于是，那几天下班后，妈妈就坐在走廊里那个摆着电话机的小桌旁，不断地与那些白天我让他们晚上打电话过来的人通话。

有时，我对外婆说：

"你不能帮帮她吗？"

于是，她替换了妈妈，也坐在小桌旁。

所有打电话给爸爸的病人、医生和护士每次都问："体温高吗？"

真遗憾，爸爸的体温不高。我真希望所有的人继续为他的健康担心！

有一次，我说：

"体温？不知道……体温表坏了，但爸爸的额头很烫，而且他总是睡得不安稳。"

那天，我对所有的人都这样回答，我在走廊里轻轻地说，不让爸爸听见。

我的悄悄话对那些人都产生了些影响，他们也用勉强可以听到的声音问我：

"情况还是不好吗？"

"是的……请您过一会儿，等他的妻子在家的时候再打电话过来！"

晚上，人家光体温表就给我们送来了三支。

"真希望他的体温正常，"那位要爸爸替她的儿子开刀的妇女轻轻地说，然后把体温表递给我，"他还是睡得不安稳吗？"

"不，已经好一些了，"我说，"好多了，请别担心……"

"让他用这支体温表吧。"她请求道，好像她的这支体温表

成长的滋味

对爸爸的病能起什么作用似的。

"依我看，爸爸的病情已经有了明显的好转了。"我又安慰这位妇女。

她掏出手帕，低下头，走了。

我对妈妈和外婆说："莫非你们以为，如果你们那位……大提琴手得了流行性感冒，也会有这么多人给他打电话？也会有人买来这么多支体温表？"

"嘿！你啊……这能比吗？"外婆大声说道，"这可关系到人的性命啊！"

"对！人们需要他。"我说。

"当然！"妈妈也高声说道。

要不是爸爸得了流行性感冒，她是无论如何也不会发出这样的感叹的。也就是说，她也许会讲同样的话，但不会这么响亮，这么自信。

所有的报纸都提到过人类要与感冒进行无情的斗争，而我对这些病毒却很有感情，甚至爱上了它们……有什么办法呢？它们可给我帮了大忙啦！

那天，我打定了主意，如果以后家里人低估了我，我也要生一场重病，最好死去……死一段时间，只要让大家都明白他们失去了一个多么宝贵的人就行！但是，很遗憾，这是办不到的，因此，我就要生一场病！那时，我们全班同学(四十三个同学)都会给我打电话。我可真得好好努力啊，到那时大家马上就能明白……

牵手阅读

　　这篇小说在素材选取和主题表现上都有很独到的地方。爸爸患了流感，这本来是桩不怎么好的事情，但它恰恰给"我"家带来了好消息。小说以"我"的视角来讲述整个事件，使故事的叙述显出一种童稚的朴素和天真的幽默。作品并不回避生活中的那些世俗的烦恼，比如外婆对爸爸"不够出色"的种种不满，但正是这种实实在在的烦恼，使故事显得更加真实，也让我们更加关心爸爸的遭遇。小说从头到尾都没有直接描写外婆和妈妈对爸爸的态度的变化，但这种变化却透过一些仿佛是作者不经意间所设置的细节，自然而然地流露了出来。比如故事临近结尾处，外婆的"大声说"和妈妈的"高声说"，就与故事开头的"不直截了当地说"、"轻轻地说"形成了鲜明的对比，生动地体现出她们在心理和情感上的微妙变化。尽管小说从未提及"我"对爸爸的态度和看法，但通过穿梭在故事中的这个小不点儿的种种言行，我们能够深切地感受到他与爸爸之间的那一份自然到无须用任何言语就能表达的温暖和爱。

[法国]
勒内·戈西尼① 著
戴捷 译

# 一切由爸爸决定

　　每年——也就是去年和前年，因为如果往前时间太久的话，我就记不太清了——我爸我妈为了去哪儿度假都吵得很凶。每次吵完以后，我妈就哭着说她要回娘家，我也哭，因为我虽然很喜欢姥姥，可她家没有海滩。最后，我们还是决定去妈妈选中的地方，但不是姥姥家。

　　昨天吃完晚饭后，我爸看着我们，挺生气地说：

　　"你们听好了！今年由我来决定去哪儿度假！没什么好商量的！今年咱们就去地中海！我这里有个松树海滩出租别墅的地址，三个房间，有水有电。别跟我提什么去宾馆的事，我可再也不想吃那儿的饭菜了，糟糕透顶！"

　　"好啊！亲爱的，"妈妈说，"听上去，这是个好主意。"

　　"太棒了！"我说完就绕着桌子又跑又跳的，因为人高兴的时候坐着可不舒服。

---

①勒内·戈西尼（1926—1977），法国儿童文学作家。

爸爸瞪大了眼睛，好像因为他看见我们居然同意了而感到很意外，然后，他说："啊？好，就这样吧。"

妈妈收拾桌子的时候，爸爸去柜子里找潜水面罩。

"你看着吧，尼古拉，"爸爸对我说，"这回咱俩一定要好好儿地潜水捕鱼，玩儿个够！"

这个我稍微有点儿害怕，因为对游泳，我还不在行，不过，如果把我放在水里，我倒是可以仰泳。爸爸说不用担心，到时候他会教我游泳的，还说他年轻时曾经是地区自由泳冠军，还说假如当时有足够的时间训练的话，他就能破纪录了。

"爸爸要教我潜水捕鱼啦！"妈妈从厨房里出来以后我跟她说。

"太好了！亲爱的。"妈妈高兴地回答我，"不过，好像听说地中海里的鱼已经不多了，因为到那里潜水捕鱼的人越来越多。"

"瞎说！"爸爸说。妈妈曾跟他说过不要在孩子面前反驳她，况且，妈妈之所以这么说是因为她在报纸上读到过这样的消息。然后，她就开始织毛衣，这件毛衣她已经织了好多天了。

"可是爸爸，"我问，"要是没有鱼，咱俩在水里岂不就跟傻瓜似的了吗？"

爸爸把面罩放回柜子里，什么也没说。我可不高兴了，每次跟爸爸到海边去，结果都一样，总是空手而归。爸爸回到客厅里，坐下来看报纸。

"那么，"我问他，"要想潜海捞着鱼，得到什么地方才行呢？"

"去问你妈，"爸爸说，"她可是这方面的专家。"

"大西洋里有，亲爱的。"妈妈对我说。

于是，我就问大西洋离我们要去度假的地中海远不远。爸爸对我说假如我在学校好好学习的话，就不会提这种问题。这可不

公平，因为我们在学校不学"潜水捕捞"这门课。可我什么也没说，因为我觉得现在爸爸好像不太想说话。

"咱们得把要带的东西列个清单出来。"妈妈说。

"不行！"爸爸说，"今年可不能像搬家公司一样了，咱们就带游泳裤、短裤、几件简单的衣服、几件毛衣……"

"还得带锅、电咖啡壶、那床红被子和一些餐具。"妈妈说。

爸爸突然站了起来，特生气，他张开嘴，可什么也没说，因为妈妈替他说了。

"你知道的，"妈妈说，"贝杜他们家去年就租了一座乡间别墅，结果他们说那里的餐具统共只有三个缺了口儿的盘子、两口小锅，其中一口底儿还漏了，他们只好在当地买些生活必需品，可那里的价格贵得一塌糊涂。"

"贝杜算什么！他根本不会想别的办法。"爸爸说完就坐下了。

"可能吧。"妈妈说，"可是你要是想喝鱼汤，就算你能捕到鱼，我也没法儿在漏了底儿的锅里给你做。"

然后，我就哭起来了。可不是嘛，去一个没有鱼的海边多没劲，而且不远处就有好多大西洋，里面有的是鱼。妈妈放下她的毛衣，把我抱在怀里，说不值得为那些破鱼难过，还说每天早上在我的房间里醒来就能看到大海，心情肯定会特好。

"其实，"爸爸解释说，"咱们住的地方看不到海，但是离海一点儿也不远，也就两千米路吧。这可是松树海滩最后一座可以租的别墅了。"

"我知道啦，亲爱的。"妈妈对他说，然后她亲了我一下，我就去地毯上玩儿我在学校从欧多那儿赢来的两个弹球。

"那边的海滩上是不是全是石子儿啊？"妈妈又问。

"不是，我的好太太！根本不是！"爸爸高兴地回答，"海滩上全是沙子，很细的沙子！一粒石子儿也没有！"

"那再好不过了。"妈妈说，"这么着，尼古拉就没法儿成天浪费时间打水漂了。自从你教会他打水漂，这可成了他最大的爱好。"

我呢，又哭了起来。可不是嘛，打水漂可好玩儿了，我能一连打四个呢。想想去这样的别墅可真不怎么样：锅是漏的，离海又远，还又没石子儿又没鱼。

"我要去姥姥家！"我叫起来，然后在欧多的弹球上踢了一脚。

妈妈又把我抱在她的怀里，说别哭了，还说只有爸爸才是这个家里最需要度假的人，就算去的地方不怎么样，我们也得做出满意的样子来跟着去。

"可……可……可是……"爸爸说。

"我要打水漂！"我叫着。

"明年没准儿就可以了。"妈妈说，"到时候，爸爸就会带咱们去斑乐海。"

"什么地方？"爸爸问完话后嘴还是张着的。

"斑乐海。"妈妈说，"在布列塔尼(注：法国西北部的一个地区，有名的旅游胜地之一)，那儿就靠近大西洋，有好多鱼，一家宾馆就在海滩旁边，海滩上有沙子也有石头。"

"我要去斑乐海！"我喊叫起来，"我要去斑乐海！"

"亲爱的，"妈妈说，"你得懂点儿事，咱们家是爸爸决定一切。"

爸爸把手放在脸上搓了搓，叹了一大口气，然后他说：

"好啦，我明白了！你说的宾馆叫什么名字？"

"秀海宾馆，亲爱的。"妈妈说。

爸爸说："那好吧。"说完，他要写信去问问还有没有房间。

成长的滋味

　　"不用了，亲爱的，"妈妈说，"房间已经订好了，号码是29，从浴室里可以看到海。"

　　然后，妈妈让爸爸别动，因为她想比比看她织的毛衣长短是不是合适，听说布列塔尼到了晚上就有点儿冷。

（本文选自中国少年儿童出版社出版的《小淘气尼古拉的故事③·小尼古拉的暑假》，2005年4月出版。）

## 牵手阅读

　　这篇小说的题目与它的内容其实是不符的，但正是这种名不副实造成了小说的幽默，它体现在爸爸和妈妈在围绕度假地点所展开的谈话中。在这场看上去完全由爸爸所掌控的谈话中，"顺从"的妈妈只能偶尔提出点小意见；但直到小说结尾，我们才意识到，这位妈妈领着我们做了一个多么大的语言游戏。这是一幕有趣的家庭喜剧，它通过"度假"这一事件，戏剧性地展现了一场家庭范围内关于争夺"话语权"的微妙战争，十分具有可读性。

［保加利亚］
拉迪奇科夫① 著
李卫 译

# 我的爸爸

没有人比我爸爸更有力气了。他只要挥动几下斧子就能砍倒林子里的树木；只要在我的手上吹一下就能使我暖和起来；只要对着那些牛吆喝一声，就能使它们摇着尾巴站起来。

他什么都行。我站在他的身影里，幻想有一天我能变得像他一样有力气，像他一样英勇无畏，战无不胜。

我看着爸爸用斧子砍树，那些树伴随着咔嚓咔嚓的声响倒在雪地上，整个山谷里都回荡着伐树的咔嚓声。我全身颤抖，感到整个森林都在爸爸的斧子下呻吟、震颤。他毫不费力地把砍下的树装在雪橇上，用绳子把它们紧紧地捆在一起，就像捆麦秸一样，然后，给雪橇套上两头牛——像祖母讲的神话中嘴里喷火的龙一样，但是，雪橇的滑板给冻住了，这两头牛拉不动。于是，爸爸使劲一推，冻住的雪块发出了震耳的响声，牛便轻快地拉着雪橇向前走去了。

①拉迪奇科夫，生于1929年，保加利亚作家。

　　我坐在雪橇上面，身上裹着爸爸的旧皮袄，看着他手牵着拴牛的缰绳艰难地朝前走着。那两头大黄牛像两只小狗一样驯顺地跟在他身后。我真不明白爸爸哪儿来的这么大的劲，他似乎能够摆布周围的一切。

　　太阳不慌不忙、稳稳当当地在天空中滚动。爸爸点上一支烟，牵着牛，也不慌不忙、稳稳当当地在雪地上走着。突然，他的脚底滑了一下，整个人立刻跌倒在雪地上，像我在冰场上摔跤一样。见了这场面，我感到非常难为情，甚至我臊得都想哭了，因为我亲眼看见爸爸摔倒了。在那一瞬间，他是那么地无可奈何。

　　至今，我仍不愿相信这是真的，虽然我仍清清楚楚地记得当时的情景：他从雪地上爬起来，用帽子扑打着沾在身上的雪，气恼而尴尬地朝我笑笑；我同样也感到尴尬和气恼，因为摔倒的不是别人，正是我的爸爸。对我来说，他简直就是一切。

## 牵手阅读

　　父亲是很多人小时候最容易崇拜的对象。在孩子的眼睛里，高大、强壮、有力、无所不能的父亲，撑起了童年的一整片天空。在这篇散文里，我们也看到了这样一位父亲的形象。对"我"来说，力大无比的爸爸"简直就是一切"。正因为这样，当爸爸在"我"面前摔倒而"无可奈何"时，"我"才会感到那样"尴尬和气恼"。对孩子来说，倒下的不只是爸爸，还有那在童年的生命中曾经无所保留地信仰过的力量。如果我们换一个角度来看待"爸爸摔倒"这一事件，那么或许可以说，从爸爸摔倒的那一刻起，在父爱庇荫下的完美世界就此结束，同时，我们自己的世界之门也被打开了。

[美国]
明德雷特·洛德 著
孙宝国 译

# 勒索信

鲍比·斯科特被绑架了。三天后，来了一封信，信封上写着"R·斯科特亲启"，盖着纽约的邮戳。

"可能是绑架者寄来的。"美国联邦调查局负责本案的埃文斯说。他小心翼翼地打开信封，用镊子夹出里面的两页纸，在桌上展开。两页纸上的字都是用铅笔写的，一页是印刷体，一页是鲍比本人的笔迹。

第一页纸上写的是：

如果还想见到你的孩子，就准备好十万美元的小额纸币！

男孩的信上写的是：

亲爱的爸爸：

他们说，我应该给您写一封平安信来证明我没有死。为了证明真是我自己写的信，我就给您描述一下小鸟吧。我看见一只

鸟在啄一棵树，这只鸟除了头和脖子是白色的，身上其他地方都是黑色的。在这只小鸟的头的后面有一些红色的斑点。还有一只鸟，是一种麻雀，整棵树上只有它在鸣叫，这只鸟的头顶是灰色的，身体上有黑色的条纹，尾巴非常短。我冲它扔了一截树枝，它就向南飞去了，我敢说它一口气能飞十英里。这里还有一只蓝色的知更鸟，发出咯咯的噪音。好吧，希望很快见到您。

爱您的鲍比

埃文斯看着桌上摆放的男孩的照片，男孩身体很强壮。"这个孩子非常热爱大自然吧？好啦，我检查一下信上的指纹，说不定能得到一些线索。"

斯科特先生摇了摇头："是呀！他向来爱研究鸟类。可是，你瞧，这封信里有一些错误。我想复印一份，行吗？"得到允许后，他复印完信，一边拿起帽子向外走，一边说："我到图书馆去一会儿，马上回来。"

斯科特先生两个小时后回来了。埃文斯依然一无所获。他没有从信上得到任何线索，没有指纹，什么痕迹都没找到。

斯科特说："看这里，埃文斯。你没找到什么，我倒是有种预感。不是预感，我相信这是真的。我想我儿子应该还活着。除此之外，我想我知道能在什么地方找到他。先别问我原因，否则你会认为我疯了。也许这只是我的瞎想，但是我要坐飞机去加利福尼亚州，马上就去！"

"加利福尼亚州！可是邮戳是纽约的呀！"埃文斯开始表示不同意。他接着问道："你发现了什么我不知道的东西吧？究竟是什么意思呢？"

"还不敢肯定。你尽管相信我好了，要是你不想跟我去，我就自己去。"

当他们在加利福尼亚州的圣巴巴拉市下飞机时，一队警务人员在等着他们。

斯科特告诉他们："我要找的地点大概在这里以北约十英里远的地方，那里长着很多高大的松树，附近不是有一条溪流就是有一个小湖。我从没有见过那个地方，但是我十分肯定我的儿子就在那里。"

一个警员说："不错，真有那么一个地方，几年前我曾经到那个地方搜索过。"

他们没费什么周折就找到了那里。那里能藏身的地方只有一处，是一间几年都没人使用过的旧木屋。警察从三面包围上去，没开一枪就捉住了猝不及防的看守。

斯科特把儿子抱在怀里，埃文斯听见男孩说："我就知道你会来，爸爸！我知道你能找到这里！"

埃文斯抱怨道："我还一直蒙在鼓里呢。现在说说事情的整个经过吧。我猜，是你儿子的信指引你找到他的。可这到底是怎么回事呢？"

斯科特先生笑着拍拍鲍比的肩头，说："没什么神秘之处。那封信让人觉得像是以前从未见过鸟的人写的，但是鲍比已经研究了好几年鸟类，他熟悉所有的鸟。起初，我不明白为什么他假装啥也不懂，实际上他写得非常巧妙。"

"嘿，见鬼！"男孩说，"咱们走吧。"

斯科特先生接着说："我在图书馆里查到了鲍比信里所写到的鸟，就找到了答案。他所说的那种白头啄木鸟分布在太平洋沿岸的松林地区，他所描述的那种鸣叫的麻雀叫做'圣巴巴拉麻雀'，只有一种蓝色的知更鸟叫起来咯咯响，这种鸟又叫做'鱼狗'，总是生活在离淡水不远的地方。"

"真是，这下我全明白了！"埃文斯说，"但是离圣巴巴拉

市约十英里，这是怎么回事？"

　　斯科特先生笑着说："那都是我猜出来的。鲍比信上说那只麻雀一口气向南飞十英里。我知道麻雀只进行短途飞行，比如从一棵树上飞到另一棵树上。等我开始明白鲍比是在巧妙地告诉我们他在什么地方时，就把这一切推测结果综合在一起了。"

[美国]
比利·罗斯 著
叶嘉 译

# 雪夜出诊

夜，大雪纷飞。将近晚上九点钟的时候，医生正在家里看书。这时，电话铃响了。

"请找凡艾克医生。"

"我就是。"医生回答。然后，凡艾克听到话筒里传来一个男子的声音："我是格兰福斯医院的黑顿医生。我们刚接到一个男孩，他的脑袋被子弹打中了，现在非常虚弱。我们得马上给他动手术，可我不是外科医生。"

"我这儿离格兰福斯九十多公里，恐怕……"凡艾克犹豫了一下，"对了，你请过马萨医生没有？他就在你们镇上。"

"我们给他打过电话，可他今天碰巧外出了。"黑顿答道，"那孩子伤情危重，他是自个儿玩弄火枪时不小心出事的。"

"哦！可怜的孩子。无论如何，我会尽快赶到你们医院。现在正下着雪，大概十二点左右我就可以赶到你们那里。"

"等一下，凡艾克医生。还有一点我得告诉你，那个孩子家

里很穷，恐怕他们不会给你多少报酬。"

　　"这没有什么。"凡艾克说完，挂上电话，几分钟后便驾着他的小汽车出发了。

　　崭新的小汽车在雪地里艰难地行驶着。刚到郊外，车前突然蹿出一个身穿黑大衣的男人，凡艾克急忙刹车。那男人动作敏捷地打开车门，然后钻了进来。

　　"马上下车！"男人低声命令道，"我有枪。"

　　"我是医生，"凡艾克很镇静，"我现在要赶去抢救一个……"

　　"别废话！"裹着破旧黑大衣的男人粗鲁地打断他的话，"你赶快下去！"

　　凡艾克被迫下了车，眼看着车子飞驶而去。他在雪地里站了好一会儿，才猛然清醒过来。

　　也不知过了多久，一辆出租车终于出现了。凡艾克立即钻进汽车，催促司机全速前进。

　　凌晨一点多，凡艾克赶到了格兰福斯医院。黑顿早已在医院门口等候着了，他的神情已经显得不那么着急了。

　　"我已经想尽了办法，"凡艾克气喘吁吁，一直搓着冰冷的双手，"可是有人在半路上截住了我，抢走了我的车。孩子现在怎么样了？"

　　"谢谢你，凡艾克医生！我知道你已经竭尽全力。"黑顿拍拍对方身上的雪花，"孩子一小时前死了。"

　　两位医生走到候诊室门口。凡艾克倏地惊呆了！门边的长凳上，坐着一个裹着破旧黑大衣的男人，他目光呆滞地坐着。突然，那个男人像发现了什么，死死地盯着凡艾克。

　　"先生，"黑顿指着凡艾克，对那男人说，"他就是我请来的医生。可惜他中途被歹徒抢走了汽车，所以迟到了。他本想尽全力赶来抢救你的儿子，可惜还是晚了。"

## 牵手阅读

　　《勒索信》和《雪夜出诊》两个故事都讲述了父亲在儿子生命受到威胁时的所作所为。《勒索信》中父子之间的那份默契和信任令我们叹服，而《雪夜出诊》中那位出于对儿子的爱而劫车，却又因劫车而失去儿子的悲伤的父亲，则让我们为之深深叹惜。在后一个故事中，父亲不惜冒着命丧车轮的危险去劫车，其实只是为了赶去见病危的儿子。在情感与道德的两难抉择中，他选择了前者，最后却因此失去了所爱的儿子。读完这个故事，我们或许很难在道义上谴责这位父亲，因为假如是对儿子的爱促使他不得不着急赶去见病危的儿子的话，那么对他来说，劫车与否就不是一个选择的问题，而是由命运安排好的一场必然的悲剧。故事因此而透出一种深深的悲哀。

成长的滋味

# 令人震撼的动物故事

对于生命、爱和自由，自然界的动物有时或许比我们更为敏感。它们用自己的方式，在莽莽苍苍的天地间书写着属于它们自己的生命之书。

[加拿大]
欧内斯特·汤普
森·西顿[1] 著
肖毛 译

# 泉原狐

一

母鸡神秘失踪的事件，已经持续一月有余。当我回到家，准备在泉原过暑假时，对此事的调查便成为我义不容辞的责任。我很快就查明了原因。母鸡是在回窝睡觉或出窝之后失踪的，既然每次都只有一只母鸡被活活抓走，那么那些流浪汉和邻居就可以脱离干系。她们不是从高处的栖息地被抓走的，那么浣熊和猫头鹰也就没有犯罪的嫌疑。我没有发现被吃剩的母鸡尸体，那么黄鼠狼、臭鼬或水貂自然也都不应该受到指控。既然如此，列那狐想必应该为此事负责。

我来到河边，对岸是埃瑞恩山谷的辽阔松林。我在离河岸较近的浅滩上仔细寻找，找到几个狐狸脚印和一根带有花斑的羽毛，这根羽毛来自我们的一只普利茅斯洛克鸡。当我爬上离河岸

---

①欧内斯特·汤普森·西顿（1860—1946），加拿大动物小说作家。

较远的地方，想要寻找更多线索时，身后忽然传来乌鸦的大叫声。我转过身，发现许多乌鸦正在向下俯冲，飞向浅滩上的某个东西。我在高处看得很清楚，这是个贼喊抓贼的老故事。浅滩的中间有一只狐狸，嘴里叼着什么东西，大概是另一只母鸡，因为他刚刚从我们的谷仓院子那边跑过来。尽管乌鸦同样是没羞没臊的盗贼，却总是抢先呐喊"抓贼"，其目的多半是为了分赃，用赃物充当他们的"堵嘴钱"。

他们此刻正在玩这种把戏。狐狸在回家时必须过河，那群贼头贼脑的乌鸦便在河边对他发起最猛烈的攻击。他向前猛冲时，假如我没有与乌鸦联手进攻，他肯定会带着赃物过河，绝不会丢下那只依然活着的母鸡，消失在树林之中。

既然他在定期大量捕食，还要把活的食物运走，这只能说明，他在家里养着一窝小狐狸。现在，我决心找到他们的住处。

那天傍晚，我和我的猎犬巡逻兵一起过河，走进埃瑞恩山谷的松林。巡逻兵刚刚开始兜圈子，我们就听到狐狸那短促的尖叫声，声音来自附近树林浓密的山谷。巡逻兵马上冲进山谷，嗅出一种刚刚留下的强烈气味，他兴奋地笔直向前追去。当他追到远处的高地上方时，狐狸的声音消失了。

大约一小时之后，巡逻兵跑了回来，趴在我脚下，呼吸急促，大汗淋漓，因为现在是炎热的八月。

几乎在这只狗趴下的同时，附近又传来了狐狸的叫声："呀泼——呦（yōu）啊！"听到叫声，他立刻跑出去，再次追赶。

他冲进黑暗中，笔直往北跑，边跑边不断尖叫，仿佛在吹一把雾号。那种响亮的"布嗷——布嗷"声，变成了低沉的"嗷嗷——嗷嗷"声，随后又变成微弱的"嗷——嗷"声，最后彻底消失了。他们肯定跑到了几英里之外，因为就算我把耳朵贴在地面上，也听不到他们的声音，尽管巡逻兵的破锣嗓子特别有穿透力，在一英里之内都不难听到。

在黑暗的林中等待时，我听到了一种悦耳的滴水声："叮——咚——啪——叮，嗒——叮——咚——啪——铛。"

我从来不知道，这附近居然还有泉水哩。在如此闷热的夜里，这真是个喜人的发现。我被这种叮咚声指引到一棵橡树的树干跟前，在那里找到了泉水的源头。这样的夜晚，这样柔美的歌声，可以引起最令人愉快的联想：

> 铛咚啪叮，嗒叮铛咚，
>
> 嗒嗒叮咚，嗒嗒铛叮，
>
> 良宵畅饮，陶然酩酊。

锯磨鸮大概就是这样演唱"滴水歌"的。

一阵粗重的喘息声和树叶沙沙声突然打断了我的联想，这说明巡逻兵已经回来了。他累得精疲力竭，舌头几乎耷拉到地上，口里淌着白沫，腰窝处上下起伏，口水顺着胸部和两肋往下滴。他暂时停止喘息，恭顺地舔舔我的手，然后砰的一声，倒在了地上，一切声音都被他粗重的喘息声淹没了。

成长的滋味

但我又听到了那种挑逗性的"呀泼——呦啊"声，声音来自几英尺之外，我这才渐渐明白，这究竟是怎么回事。

我们目前离狐狸洞不远，洞里有几只小狐狸，两只老狐狸正在轮番上阵，试图把我们引走。

现在夜色已深，所以我们准备回家。我相信，这件事很快就会得到解决。

二

这附近住着一只老狐狸和他的家属，已是众所周知的事，但谁也没有料到，他们的住处居然离我们近在咫尺。

人们都把这只狐狸称为"疤(bā)瘌(la)脸"，因为他脸上有一道从眼睛延伸到耳后的伤疤。大概他在追捕野兔时，曾经撞到铁丝网栅栏上，结果留下了这道伤疤。等伤口愈合后，他的伤疤处只生长白毛，所以这道伤疤始终是个非常容易辨认的记号。

我曾在去年冬天遇到过他，对他的狡猾已有所领教。我在雪后出门打猎，穿过几块开阔地，来到老磨坊之后的灌木众多的山谷边缘。抬头观望山谷时，我发现有只狐狸正在远处小跑，他恰好在我对面，与我所在的方向相互交叉。我登时保持原地不动，甚至没有低头或扭头，唯恐我的动作被他发现。我始终保持这个姿势，直到他跑出我的视野，进入谷底那茂密的灌木丛。他刚刚躲进灌木丛，我赶紧猫着腰，跑向灌木丛对面，准备拦截他。我及时跑到那里，等待他出现，他却没有露头。经过仔细察看，我发现了几个新留下的狐狸脚印，这说明他早已跑出灌木丛。我顺着脚印的方向回头看，发现老疤瘌脸已经远在我的射程之外。他蹲坐在我身后的某个地方，咧嘴微笑，好像感到特别开心似的。

通过对那些脚印所作的研究，我把问题都搞清楚了。在我看到他的一刹那，他已经发现了我，但他也像真正的猎手那样，假装对此事一无所知，还是不慌不忙地往前跑。在他跑到我看不见的地方后，他立刻使劲奔跑，然后绕到我身后，开心地欣赏着我的阴谋破产的过程。

今年春天，疤瘌脸的狡猾再次让我上当。当时，我和朋友走在高地的牧场之上，在经过一道离我们不到三十英尺的山脊时，我们看见那上面有几块灰色和棕色的大石头。当我们走到离山脊最近的地方时，我的朋友说：

"你瞧，第三块石头很像一只蜷缩着的狐狸。"

　　我却没有看出来，于是我们继续前进。我们还没走出多远，风就吹向了这块"大石头"，仿佛吹在动物的皮毛上似的。

　　我的朋友说："我绝没看错！那就是一只狐狸，他正在睡觉呢。"

　　"我们很快就会查个水落石出的。"我回答道，然后向后转身。我刚刚走出一步，那块"石头"立刻跳起来逃跑了，这只狐狸就是疤瘌脸。一场大火曾经从牧场中间掠过，留下一条宽阔的黑色地带，他从那里飞跑过去，溜进没有遭受火灾的干草之中，再次蹲坐下来，从我们的视野里消失。他一直在观察我们，在我们离开这条道之前，始终纹丝不动。这件事之所以令人惊叹，并不是因为他酷似圆石头或干草，而是因为他不但知道这一点，而且随时准备用它来使自己受益。

　　我们很快就发现，疤瘌脸和他的妻子薇克森已经把我们的树林视为他们的家园，把我们的谷仓院子当做他们的食品基地了。

　　第二天早晨，通过对松林的搜查，我发现了一个在最近几个月里堆成的大土堆。这些泥土肯定来自某个狐狸洞，我却看不出洞口在哪里。我们都知道，在挖掘新洞时，一只真正聪明的狐狸会把所有泥土推出去，盖住第一个洞口，然后在洞里挖一条隧道，通向远处的灌木丛。以后，他只使用藏在灌木丛里的那个入口，却永远不会使用最初的那个洞口，因为它很容易被人发现。

　　于是，我来到那个大土堆的另一头，没过多久便找到了真正的狐狸洞入口和令我满意的证据，因为那个洞里有一窝小狐狸。

　　山坡上有一棵空心的大椴树，高耸在灌木丛之上。它歪斜得很厉害，树干的底部有个大洞，树顶有个小洞。

　　我们这一带的男孩子经常用这棵树来玩"瑞士鲁宾逊一家"的游戏①，他们在这棵树的柔韧的内壁上凿出许多台阶，可以轻

① "瑞士鲁宾逊一家"的游戏：源自《瑞士鲁宾逊一家》（《Swiss Family Robinson》），瑞士牧师约翰·戴维·魏斯创作的一部儿童小说，该书初版于1812年，多次被改编为电影和动画片。该书描写了一家瑞士人在海难中流落荒岛的故事，他们曾在荒岛上修建树上小屋。

松地在树洞里上上下下。如今，这棵树被我派上了用场。第二天，太阳刚刚升起，我就去那里观察。我站在树顶的位置，很快便看到了有趣的狐狸一家，他们都住在附近的狐狸洞里。我发现了四只小狐狸，他们长得很奇怪，他们的皮毛和绵羊的极其相似，四条腿又长又粗，宛如四只小羊羔，表情似乎很天真。不过，再瞅瞅他们那宽宽的尖鼻子和机警的模样，你就会明白，这些所谓的"小天真"都是那些狡诈的老狐狸的雏形。

他们在洞口附近做游戏，晒太阳或者扭打，最后急忙跑进了洞里，因为他们听到了一种轻微的响声。这只是一场虚惊，原来是他们的妈妈回来了。她走出灌木丛，又叼回一只母鸡——我记得，这是第十七只。她轻轻地叫了一声，几个小家伙便争先恐后地往外跑了出来。随后，一场好戏开始上演了。我认为这场戏演得很好看，但我叔叔肯定一点也不喜欢。

他们冲向母鸡，和她扭打在一起。那位母亲在旁边观看，露出喜悦的神情，同时，她用敏锐的目光提防着敌人。她的面部表情非常复杂。乍看上去，她只是在愉快地咧嘴微笑，但她的笑容里依然潜藏着她那惯有的桀骜和狡黠，以及残酷和紧张的神情。总的来看，她的脸上写满了母亲的骄傲和关爱。这一点显而易见。

我的"大树基地"隐藏在灌木丛里，比狐狸洞外的那个小山还要低得多，所以我可以任意来去，绝不会惊吓到那些狐狸。

我在那里观察多日，目睹了小狐狸接受训练的许多场面。他们很早便已学会，只要听到任何陌生的声音，就把自己装扮成小雕像；要是再听到这种声音，或者发现其他可怕的事，他们便跑进那个庇护所。

有些动物具有非常强烈的母爱，这种爱甚至可以传播出去，让局外人感动。薇克森的年纪似乎并不太大。她对子女的宠爱，导致了最纯粹的暴行。为了能让孩子们将猎物折磨得更久，她常常怀着残酷的温柔，把老鼠和小鸟活活叼回家，不让老鼠和小鸟受到重伤。

小山上的果园里住着一只旱獭，名叫查克基。他既不英俊潇洒，也没什么出众之处，可他懂得怎样照顾自己。他在一棵老松树的树根之间挖了个洞，狐狸却学不会这种本事，无法在那里挖洞，但埋头苦干并不是旱獭的生活作风，他们更相信智慧的力量。这只旱獭经常在每天早晨爬上树桩晒太阳。假如发现附近有狐狸，他就会爬下来，溜进洞口；假如敌人近在眼前，他就躲进洞里，一直躲到危险过去。

一天早上，薇克森和她的丈夫似乎认为，今天应该让孩子们学点关于旱獭的专业知识，那只住在果园里的旱獭准会积极配合，给这些小家伙们上一堂生动的实物教学课，所以他们一起向果园的栅栏走去，而且没有被树桩上的老查克基发现。不久，疤癞脸开始在果园露面。他悄悄地直线行走，从远处经过树桩，一次也没有回头看，让那只始终处于观察状态的旱獭感觉自己已经被发现。当他走进野地时，那只旱獭悄悄爬下树桩，溜进洞口，等着狐狸走过去，随后，旱獭采取了更为明智的做法，躲进了洞里。

两只狐狸都在企盼这个结果。薇克森原本躲在旱獭的视线之外，现在却立刻跑出来，躲藏在树桩后面。疤癞脸依然笔直前进，走得非常慢。旱獭并没有被吓坏，很快就把脑袋伸到树根之间，四处察看。那只狐狸还在往前走，而且越走越远。狐狸继续往前走着，旱獭因此而变得更加大胆，走到了离洞口更远的地方，以为危险已经过去了。旱獭刚刚爬上树桩，薇克森便纵身一跃，把他抓住，然后使劲甩动几下，让他昏死过去。疤癞脸现在开始往回跑，因为他已经用眼角余光觉察到了这一切。但薇克森已经叼住旱獭，正在往家里走。疤癞脸明白，现在用不着他来帮忙了。

薇克森小心翼翼地叼着旱獭往回走，在她到家时，旱獭还能

够稍微挣扎几下呢。"呜！"她在家门口低声呼唤。几个小家伙跑了出来，仿佛几个准备做游戏的小男生。她把受伤的猎物丢给孩子们，他们宛如四个小暴徒，立刻冲向猎物，发出微弱的咆哮声。他们的小嘴巴使出全力，一口口地撕咬猎物。旱獭开始为生存而战，把他们通通打退，然后艰难地爬向灌木丛，想要找到藏身之地。那些小家伙追过去，仿佛一群猎犬在追捕猎物，他们咬住他的尾巴和腰，却阻止不了他的脚步。薇克森连跳两下，追上旱獭，又把他拖回开阔地，供孩子们继续撕咬。他们反复地进行这种野蛮的游戏，直到一个小家伙被咬伤为止。听到孩子的惨叫声，薇克森十分恼火，她立刻结束了旱獭的悲惨命运，让他变成了孩子们的美餐。

在狐狸洞的附近，有一片杂草丛生的洼地，那里是一群老鼠的游乐场。几个小家伙初次被父母带出家门，便在这片洼地学习林学的入门课程。他们在这里上完了关于老鼠的第一课，知道老鼠是最容易捕捉的猎物。他们主要通过模仿来学习这门功课，那种根深蒂固的本能只能起到辅助作用。老狐狸有时也会为他们做出几种动作，意思是"趴着别动，注意观察"，或者"跟我来，模仿我的动作"等等，这都是些比较常用的动作。

一个无风的夜里，快乐的狐狸一家来到那片洼地上。狐狸妈妈让孩子们趴在草窠里，不要轻举妄动。不久，洼地上响起了一种微弱的吱吱的叫声，这表明，猎物正在活动。薇克森站起来，踮着脚尖，走进草丛。她不再继续做蹲伏状，而是尽量抬高身体，有时还会用后腿站立起来，以便看得更加清楚。老鼠隐藏在乱草之下，要想查出他的行踪，必须观察微微晃动的青草，这就是唯有在无风的日子里才能逮住老鼠的原因。

捕捉老鼠的关键是查明他的位置，要想看到他，必须先把他捉住。薇克森很快就跳出去，抓住一把枯草，其中就隐藏着一只老鼠，他发出了最后的惨叫声。

这只老鼠很快就被吃光了。接下来，四只笨拙的小狐狸尽量学着妈妈的样子捕猎。最大的那只小狐狸终于平生初次抓到了猎物，他激动地颤抖着，凭着一股天生的野性，把珍珠般洁白的小乳牙刺进老鼠的身体，连他自己都为这种凶猛的举动感到惊奇。

妈妈给他们上的另一课是捕捉红松鼠。红松鼠是一种喜欢骂街的粗鲁动物，他们的附近就有这么一只。他经常蹲在某个安全的栖息地，对着狐狸破口大骂，每天都要因此而浪费一些时间。每当这只松鼠在两棵树之间跳来跳去，跃过林间的空地上空，或者在离他们一英尺左右的地方发出一连串的咒骂时，几个小家伙总是想要逮住他，却始终不能如愿。但老薇克森精通博物学，对松鼠的本性了如指掌，只要时机成熟，她就会着手处理这件事。那一天，她把孩子们隐藏好，然后来到开阔的林间空地上，直挺挺地躺在那里。不久，那只粗俗的松鼠出现了，照常对着她破口大骂，而这次她却纹丝不动。他凑得更近一些，最后恰好站在狐狸头顶的位置，在那里滔滔不绝地谩骂：

"你是畜生！你是畜生！"

薇克森照样躺在那里，仿佛一具死尸一样。这种现象实在太奇怪了，松鼠忍不住跳下树干，先是四处窥视片刻，然后紧张地跑过草地，跳到另一棵树上，蹲在安全的栖息地，再次谩骂：

"你是畜生，不中用的畜生！你是大麻子，满脸都是疤。"

薇克森毫无反应，还是直挺挺地躺在草地上。对松鼠来说，这种场面最有诱惑力，因为他天性好奇，喜欢冒险。他再次来到地面上，快速跑过林间空地，离狐狸比上次离得更近。

薇克森依然躺在那里，有如一具死尸。"她肯定死了。"那些小狐狸开始纳闷，以为妈妈已经死去。

这种过于强烈的好奇心，让松鼠渐渐失去了理智。他扔下一

块树皮，打中了薇克森的脑袋。他说尽所有污言秽语，随后又对着她重骂一遍，狐狸还是没有露出生命存在的迹象。他又在林间空地上来回跑了两次，然后冒险走向其实始终处于警戒状态的狐狸。当他来到离薇克森不到几英尺远的地方时，她跳了起来，在转瞬间就把他摁倒在地。

然后，小家伙们一拥而上，把骨头啃得精光。唉！

那些小狐狸就这样学完了林学的入门课程。当他们长得更加强壮后，便被父母带到偏远地带，开始学习脚印辨认法和气味追踪术，这是两门更加高级的课程。

为了捕获不同的猎物，他们需要学习不同的捕猎方法。每种动物都具有某种明显的长处，否则他们就不能生存；但他们也具有某种明显的短处，不然其他动物就无法生存。松鼠的短处是好奇心太强，狐狸的短处则是不能爬树。小狐狸们需要通过训练来学会知道充分利用其他动物的短处，尽量发挥他们行动敏捷的特长，以此弥补自身的缺陷。

他们从父母那里学到了狐狸社会的主要公理。至于他们究竟是怎么学到的，我很难用几句话来解释清楚。反正他们是在父母身边学到的，这一点显而易见。尽管那些狐狸没有对我透露一个字，我还是从他们那里知道了下面这几条狐狸社会的公理：

当你走在笔直的道路上时，中途千万不要睡觉；

既然鼻子在眼睛之前，那就该首先相信鼻子；

傻瓜才会顺风跑；

跑过小河，百病全消；

如果可以继续躲藏，就不要走向开阔地；

如果可以迂回前进，就不要笔直往前走；

任何陌生的东西，都会为你带来危险；

灰尘和流水可以消除气味；

永远不要在有野兔出没的树林里猎取老鼠，也不要在鸡场捕
捉野兔；

必须谨慎行事。

这些公理，已经在那些小家伙的头脑里留下了大致的印象。
他们能够明白，为什么"永远不要追踪你嗅不出的气味"是明智
的做法，因为假如你嗅不到对方，风必定会让对方嗅到你。

他们先是在本国逐个学习有关林中鸟兽的知识，毕业后又和
父母一起去国外认识新动物。他们渐渐感到自满，以为自己可以
分辨任何活物的气味。一天夜里，妈妈把他们带到一片野地，地
面上放着一件扁平的黑东西，看起来很陌生。她特意领他们去嗅
这件东西，他们刚刚嗅了嗅，身上的毛发就通通竖立起来，全身
颤抖不已。他们不知道为什么会有这种反应，这件东西似乎让他
们热血沸腾，心中本能地充满了仇恨和恐惧。当她看到这件东西
的味道已经取得最大效果后，就告诉他们：

"那是人的气味。"

# 三

母鸡失踪的事件仍在继续发生，因为我没有对任何人提起
小狐狸的洞穴。说实在的，这些小坏蛋比母鸡更让我牵肠挂肚。
我叔叔的火气越来越旺，他开始用最轻蔑的口气贬低我的林学知
识。有一天，为了让他满意，我带着巡逻兵穿过树林，爬上山
坡。我来到一处开阔地，坐在树桩上，让那条猎犬继续前进。不
出三分钟，他开始大叫。每个猎人都非常清楚这叫声的含义：

"狐狸！狐狸！狐狸，就在下面的山谷里！"

片刻之后，我听到他们往我这边奔跑的声音。然后，我看到那只狐狸——疤癞脸，正在轻快地穿过河滩，跑向河水。他进入水中，沿着靠近河岸的浅水区跑出两百码远，然后离开河水，一直向我这边奔跑。尽管我完全暴露在他的视野里，他却没有发现我，还是往山坡上跑去，他不断地扭过头去观察那条猎犬。在离我不到十英尺的地方，他转身坐下，背对着我，同时伸长脖子，对猎犬的行动显出极为浓厚的兴趣。巡逻兵汪汪大叫，循着脚印的气味往前追。当他追到水边时，发现流水消除了气味，这让他感到为难。为了找到狐狸离开河水的地方，他只能在两岸来回奔跑，此外再没有其他对策。

为了能看得更加清楚，坐在我前面的狐狸稍稍挪了挪身子，好奇地观察那条正在来回兜圈子的猎犬，多数人也具有这样的好奇心。狐狸与我非常接近，当那条狗跑进他的视野中时，我能看到他肩部的毛发稍稍竖起的情景。我还可以看到他的心脏在肋部跳动的样子，以及他的黄眼睛射出的光。当那条狗被流水捉弄得完全不知所措时，那只狐狸的模样显得非常滑稽——他再也无法静坐下去，而是快活地来回摇摆，为了能仔细欣赏猎犬艰难行走的傻相，他居然用后腿站立了起来。尽管呼吸毫无困难，他的嘴巴却几乎咧到耳根，然后大声喘息了片刻，或者说开心地大笑了一阵子，正如狗在大笑时喜欢咧嘴和喘息那样。

老疤癞脸怀着无比的喜悦，开始迂回前进，那条猎犬却还在为寻找气味而大伤脑筋。等到猎犬确实有所发现，气味却变得非常微弱，几乎无法对狐狸进行追踪了。猎犬懒得再对这种气味大叫了，因为这实在毫无必要。

猎犬刚刚爬上山坡，狐狸便悄悄躲进树林里。我始终坐在视野开阔的地方，离狐狸只有十英尺远，但我顶风而坐，始终不动。狐狸永远也不会知道，在这二十分钟里，他最害怕的敌人完全可以决定他的生死。巡逻兵几乎像狐狸那样，从我身边跑过去，但我把他叫住了。他被我吓了一跳，显得有点紧张，然后停止了对气味的追踪，趴在我脚下，露出了不好意思的表情。

这种小喜剧连续上演了好几天，剧情每天都会有所变化。从小河对面的房子里，可以把这一切尽收眼底。我叔叔对狐狸这种日攘一鸡的行为感到恼火，亲自披挂上阵，坐在山坡的开阔地上，为猎犬把风。不久，老疤瘌脸又跑到他的瞭望哨，观察那条笨狗在下面的河滩上奔跑的傻样。就在他咧嘴大笑，准备庆祝新胜利的一刹那，我叔叔无情地从他的背后射出了冷枪。

# 四

母鸡失踪的事件依然不断发生。我叔叔被这件事气得暴跳如雷，决定亲自指挥战斗。他在树林里布满毒饵，希望我们的狗能够有好运气，不会吃到这些毒饵。他大肆抨击我过去学到的林学知识，继续对我发表轻蔑的言论。每天晚上，他都会带着一杆枪和两条狗走出家门，想看看他能够消灭什么东西。

薇克森可以轻易地辨认出毒饵，她或者避开它们，或者用最轻蔑的态度对待它们。她把一块毒饵丢在臭鼬的洞口，从此便再也没有瞧见过她的这位夙敌。从前，老疤瘌脸总是时刻准备承担引开猎犬的任务，不让他们对小狐狸造成伤害。如今，照顾孩子的重担全部落在了薇克森的肩上，她再也没有时间去清除通向洞口的每个脚印了。在敌人即将逼近的关键时刻，她无法每次都能及时迎上去，把敌人引向歧途。

结局自然不难预料。有一天，巡逻兵循着浓烈的气味，追踪到那个狐狸洞。随后跑过来一只名叫点子的猎狐犬，声称狐狸一家都在这个洞里，然后点子拼命往洞里钻，想要把他们捉拿归案。

所有的秘密如今都已被发现，薇克森的整个家庭即将走向毁灭。那个爱尔兰雇工带着镐头和铁锹来到现场，准备把他们挖出来，我们和猎犬都站在旁边观看。薇克森很快在附近的树林里现身，把猎犬引到河边。她在那里想出了脱身妙计。她跳上一只绵羊的后背，想用这种简单的办法甩掉追兵。受惊的绵羊狂奔出几百码之后，薇克森跳下羊背，往家里跑。她明白，她现在与猎犬相距太远，他们不可能嗅到她的气味，但那些猎犬也很快返回狐狸洞，因为他们嗅不出她的气味。薇克森绝望地徘徊在狐狸洞附近，企图把我们从她的宝贝们身边骗走，却没有任何效果。

在这段时间里，那个爱尔兰人始终在拼命挥舞镐头和铁锹，劲头十足，收效显著。夹杂着砾石的黄沙，纷纷堆积在洞口两旁；挖掘者强壮的肩膀，渐渐沉没到地面之下。与此同时，那些猎犬疯狂地追赶着逗留在附近树林里的老狐狸，为挖掘工作活跃气氛。一小时之后，那位爱尔兰挖掘手开始慷慨陈词：

"他们在这儿呢，先生！"

小狐狸的儿童室位于地洞尽头，四个毛茸茸的小家伙正在拼命往里面躲藏。

我还没来得及插手，铁锹就对准他们发出了致命的一击，那只野蛮的小猎狐犬突然闯进来，杀害了三个小家伙。我揪住第四个小家伙的尾巴，把他拎到兴奋的猎犬够不着的地方，总算让这只最小的狐狸勉强保住了性命。

小家伙发出一声短促的尖叫，那位可怜的母亲被叫声吸引过来，在与我们近在咫尺的地方来回兜圈子。她本来有可能遭到枪杀，但不知怎么回事，那些猎犬总是夹在中间。她侥幸逃出去，再次引走猎犬，让他们进行又一次徒劳无功的追赶。

那个死里逃生的小家伙被装进袋子里，一声不吭。我们把他那些不幸的兄弟扔回儿童室的床上，然后再用几锹土把他们埋了。

我们这些罪人回到家之后，很快就把小狐狸用铁链拴在院子里。谁也不知道，为什么还要让他活下去。总之，大家的情绪已经开始变化，没有人愿意杀死他。

他是个漂亮的小家伙，仿佛是狐狸和羊羔的混合种。他那毛茸茸的外貌和身材，与羊羔极为相似，看起来天真无邪，真让人觉得不可思议。在他的黄眼睛里，你却能够发现狡猾和野性的光芒，而羊羔绝不会具有这种目光。

只要有任何人接近，他就会忧郁地蜷缩起来，在他藏身的箱子里打哆嗦。在独处了整整一个钟头之后，他才敢向外张望。

我的窗户现在变成了那棵空心椴树的代用品。院子里有很多母鸡，在小狐狸身边走来走去，都是些他非常熟悉的品种。将近傍晚时，当她们走近那位俘虏时，铁链突然发出嘎嘎的声响。小狐狸冲向离他最近的母鸡，铁链却猛地把他拉了回去，让他无法逮住猎物。他只好站起来，溜进箱子里。尽管他后来又对母鸡发动过几次攻击，却能事先测算好跳跃距离，不论是成是败，他都会在铁链允许的范围内跳跃，再也不会被无情的铁链拉回去了。

当夜幕降临后，小家伙变得非常烦躁，他偷偷溜出箱子，外面稍有风吹草动他就拖着铁链往回跑。他不时用前爪摁住铁链，然后愤怒地撕咬它。突然，他停止了动作，仿佛正在倾听，然后仰起黑黑的小鼻子，发出带有颤音的短促的哀号。

他这样反复哀号了一两次，同时不断地撕咬铁链，来回乱跑。他终于得到了响应。"呀泼—— 呦啊！"老狐狸在远处回答。几分钟之后，柴堆上露出一个黑影。小家伙先是躲进箱子里，但又马上跑了出去，带着狐狸能够表露的所有快乐的感情，迎向他的妈妈。她闪电般叼起儿子，转身跑向来时的道路。那条铁链却在转瞬间拉到尽头，把小狐狸从老狐狸的嘴里无情地拽了出去。接下来，她被窗户敞开的声音惊动，逃到了柴堆之上。

一小时后，小狐狸不再乱跑或哀号。我借着月光，向外偷看，发现那位母亲伸直了身体，趴在小家伙旁边的地面上，正在啃咬什么东西。那种叮当声告诉我，她在对付那条无情的铁链。与此同时，迪普——也就是那个小家伙，正在尽情啜饮妈妈提供的热饮料。

当我走到外面时，她已经逃进黑暗的树林里了。小狐狸藏身的箱子旁边摆着两只血淋淋的老鼠，尸身依然带有余温，那是慈爱的母亲送给小儿子的食物。我在第二天早晨发现，距离小家伙的颈圈一两英尺处的铁链，已经被牙齿磨得非常明亮了。

我穿过树林，来到那个被捣毁的洞穴，再次发现薇克森的踪迹。那位可怜而伤心的母亲已经来过，挖出了她那沾满污泥的爱子们的尸体。

三个小宝贝就躺在那里，如今已经被妈妈舔得又光又滑，他们身边摆着两只新杀的母鸡。那个不久前堆成的土堆上面，布满了蕴涵深情的脚印。这些脚印告诉我，她曾经徘徊在这里，仿佛利斯巴（以色列首任国王扫罗的妃子，她的两个儿子被基遍人杀死且不许收尸，她日夜守候在尸体旁，不许鸟兽糟蹋，以色列次任国王大卫被她的母爱感动，下令埋藏死者）那样，守护在死去的儿子身旁。在这里，她曾经摆下孩子们平时爱吃的食物，那是她在夜间俘获的战利品；在这里，她曾经伸直身体，趴在孩子们跟前，想要献出他们再也喝不到的天然饮料，渴望像从前那样喂养和温暖他们；但是，他们的软毛下面只有僵硬的小尸体，那些冰冷的小鼻子纹丝不动，对她的爱心毫无反应。

她的肘部、胸部和脚关节都在这里留下了深深的印记，这说明，她曾经默默趴在这里，痛不欲生，久久为他们守灵，如同每位肝肠寸断的母亲那样，一心哀悼她的爱子。从那时起，她再也没有重返这个被捣毁的洞穴，因为她现在确切地知道，她的三个小宝贝都已死去。

# 五

被俘的迪普，是薇克森最为弱小的儿子，他现在得到了妈妈的全部关爱。为了保护母鸡，那些狗全都被释放了出来。那位雇工接到命令，只要一看见老狐狸就立刻开枪，我也被告知必须如此，但我决心永远都不再看她一眼。下过毒的鸡头被散布在树林里，因为狐狸喜欢吃鸡头，狗却对这种食物不屑一顾。要想进入拴着迪普的院子，薇克森必须冒着各种风险，从柴堆上爬进去，此外再没有其他道路，但薇克森依然每晚去那里照看她的小宝贝，为他送去新杀的母鸡和猎物。我现在经常看到她，尽管在她来的时候，那位俘虏还没有发出不满的叫声。

在迪普遭到囚禁的第二天晚上，我听到铁链的哗啦声，然后辨认出是那只老狐狸来了。她在小家伙的箱子旁边，正在艰难地挖洞。当那个洞深得足够藏住她的半个身子时，她把拖在地上的那部分铁链通通埋进洞里，用泥土埋住。然后，她非常高兴，以为她已经除掉了那条铁链，就叼住小迪普的脖子，转身冲上柴堆。可是……唉！铁链竟然粗暴地把她的宝贝抢了回去。

可怜的小家伙只好伤心地呜咽着，爬回那个箱子。半个小时后，那些猎犬开始狂吠。我知道，他们正在追赶薇克森，因为他们一直在冲着远处的树林吼叫。他们向北边跑去，朝着铁路的方向，吼叫声离我越来越远。第二天早上，他们还没有回来。我们不久便知道了原因。对狐狸来说，铁路早已不是什么新鲜玩意儿，他们很早就想出了几条利用铁路退敌的妙计。第一条计策是，在被猎犬追赶时，倘若火车马上要开过来，那就先沿着铁轨跑出一段较长的距离。铁轨总能消除大部分气味，火车则会让所

有气味荡然无存，还有可能撞死穷追不舍的猎犬呢。第二条计策能带来更好的效果，但实施的难度比较大，因为狐狸必须在火车即将到来之前，把猎犬直接引诱到高高的铁轨中间，让火车对他们发动突袭，他们准会被撞得粉身碎骨。

薇克森巧妙地实施了第二条计策。我们在铁轨下发现了老巡逻兵那残缺不全的遗体，知道薇克森已经为死去的亲属报了仇。

她在当天晚上回到院子里，在疲惫不堪的点子回到家之前，她又杀死一只母鸡，把尸体带给迪普。她喘息着，伸直身体，趴在儿子旁边，因为他也许会感到口渴。她似乎认为，假如不给儿子送来猎物，他就会没有食物。

我叔叔之所以知道她夜访鸡舍的秘密，正是由于那只失踪的母鸡。

我的同情心完全转向薇克森这一边，不愿意参与更多的谋杀。第二天晚上，我叔叔手持猎枪，亲自守卫了一个小时。然后，天气开始转凉，月亮被乌云遮住。他想起别处还有重要的事情要办，就让那个爱尔兰人替他守夜。

寂静和守夜时的焦躁情绪，让这位爱尔兰人变得紧张过度，心神不定。在他守夜一个小时之后，我们听到两声"砰、砰"的巨响。要不是他连开两枪，我们还真不知道他究竟紧张到什么程度呢。

第三天早晨，我们发现，薇克森没有让她的小宝贝失望。晚上，我叔叔再次负责警戒，因为又丢失了一只母鸡。天黑之后，我很快便又听到一声枪响，但薇克森扔下她带来的猎物，转身逃走了。这天夜里，她再次企图回到院子里，结果又一次引来了枪声。第四天早晨，我发现铁链又变得光亮起来，可见她头天夜里又回来过，花费了几个钟头的时间，却无法咬断那条可恶的铁链。

这种勇往直前的精神和百折不挠的意志，就算换不来人们的宽容，也必定会赢得大家的尊重。不管怎样，在第四天晚上，当一切陷入寂静时，院子里没有了准备开火的枪手。这能对她有所帮助吗？她已经连续三个晚上被枪声赶走了，她还会不会再次来到院子，试图喂养或拯救她那失去自由的小宝贝呢？

她还会再来吗？母爱将让她作出抉择。第四天晚上，当小家伙又一次发出了带着颤音的哀鸣声时，一个黑影出现在柴堆之上。这一次，只有我在那里观察他们。

但我没有看到她带来母鸡或其他食物。难道这位聪明的女猎手终于失败，无法给她仅剩的小宝贝带来猎物？或者她已经认识到，捕获迪普的那些人肯定会为他提供食物？

不，所有猜想都与事实相去太远。生活在天然森林之中的母亲，都具有真知灼见，知道什么最值得热爱，什么最值得痛恨。她唯一的心愿，就是让儿子获得自由。她尝试了她所知道的每种方法，勇敢地面对所有危险，细心地照料儿子，帮他摆脱铁链，但是，一切尝试都已失败。

她来去匆匆，宛如幻影。迪普抓住她丢下的什么东西，嘎吱嘎吱地咀嚼，吃得津津有味。就在他大啃大嚼的时候，他突然感到刀割般的剧痛。一声痛苦的尖叫，把他引向了自由之门。接下来，小狐狸挣扎了几下，倒地死去。

薇克森有着强烈的母爱，但她还有一种比母爱更为强烈的意念。她完全明白毒药的力量，因为她认识毒饵，要是迪普已经长大，她本来会教给他识别和躲避毒饵的本领。但现在她必须作出抉择：究竟是让儿子继续过悲惨的囚犯生活，还是让他突然死去。于是，她忍痛熄灭心中的母爱，使出最后的办法，为儿子打开了自由之门。

……

第一场雪过后，我们曾经去林中搜索她的行踪。冬季到来时，搜索的结果表明，埃瑞恩山谷的松林中再也没有薇克森的踪迹。我始终不知道她究竟去了哪里，只知道她已经不在此地。

也许她已经在某个遥远的地方安家落户，把悲伤的记忆都抛到身后，忘却了丈夫和孩子惨遭谋杀的往事。也许她一心想要告别这个伤心地，许多生活在天然森林之中的母亲也曾这样黯然地孤身远去，并且也都常常被迫在离开前使用这个方法来帮助她们的小宝贝获得自由。

## 牵手阅读

　　《泉原狐》所讲述的故事起始于人们因为"母鸡失窃"事件而展开的追踪和围捕，但随着"我"对狐狸一家生活的熟悉，"我"的身份逐渐由打猎者转向了旁观者，感情上甚至慢慢倾向于狐狸一家。叙述者的观察使我们得以目睹狐狸一家生动的日常生活。作家毫不回避自然生物链的弱肉强食的规则，但也绝不将人间伦理粗暴地强加于自然。在他的笔下，狐狸既有狡猾凶残的一面，也有聪明温情的一面。狐狸夫妇用计猎杀小动物的伎俩和捉弄猎人、猎狗的手段，颇有值得欣赏和令人佩服的地方。而母狐薇克森在丧子时所承受的深切悲痛和它竭尽全力拯救幼子，最后不得不以一种令人震撼的方式给予幼子自由的行为，则更令我们惊叹不已。作为一则动物故事，《泉原狐》不是采用拟人的手法来写狐狸，而是展现它们在自然环境中的自然行为，然而正是在这种自然的展现中，我们看到了最原始也最令我们动容的自然之爱和自由精神，这使我们的同情心与故事中的叙述者一道愈益被狐狸一家所吸引。故事最后所表现的薇克森对于自由的理解，对人类来说，足以成为一种深刻的教益，而故事通过狐狸所展现的自然界的生态伦理，同样也足以引起我们的反思。

沈石溪① 著

# 再被狐狸骗一次

我从上海下放到西双版纳当知青的第三天，就被狐狸骗了一次。

那天，我到勐（měng）混镇赶集，买了只七斤重的大阉鸡，准备晚上熬鸡汤喝。黄昏，我独自提着鸡，踏着落日的余晖，沿着布满野兽足迹的古河道回曼广弄寨子。古河道冷僻清静，见不到人影。拐过一道弯，突然，我看见前面十几步远的一片乱石滩上有一只狐狸正在垂死挣扎。它口吐白沫，绒毛参着，肩胛抽搐，似乎中了毒。见到我，它惊慌地站起来想逃命，但刚站起来就虚弱地摔倒了，那摔倒的姿势逼真得无懈可击：它直挺挺栽倒在地，咕咚一声响，后脑勺重重地砸在鹅卵石上。它四仰八叉地躺在地上，眉眼间那块蝴蝶状的白斑痛苦地扭曲着，它绝望地望着我。我看得很清楚，那是只成年公狐，体毛厚密，色泽艳丽，像块大红色的金缎子。我情不自禁地产生了一种前去擒捉它的欲

---

① 沈石溪，生于1952年，儿童文学作家。

望和冲动。那张珍贵的狐皮实在让我眼馋。不捡白不捡，贪小便宜的心理人人都有。再说，空手活捉一只狐狸，也能让我将来有了儿子后，能在儿子面前假充英雄，有了吹嘘的资本。何乐而不为？

我将手中的大阉鸡搁在身旁一棵野芭蕉树下，阉鸡用细麻绳绑着腿和翅膀，所以是跑不动也飞不掉的。然后，我解下裤带绾成圈，朝那只还在苟延残喘的狐狸走去。捉一只奄奄一息的狐狸，等于瓮中捉鳖，太容易了，我想。我走到乱石滩，举起裤带圈刚要往狐狸的脖颈儿套去，突然，那只狐狸"活"了过来。它一挺腰，麻利地翻起身，一溜烟地从我的眼皮下蹿了出去。这简直是僵尸还魂，我吓了一大跳。就在这时，背后传来鸡恐惧的啼叫声，我赶紧扭头望去，顿时目瞪口呆！一只肚皮上吊着几只乳房的黑耳朵母狐狸正在野芭蕉树下咬我的大阉鸡。大阉鸡被捆得结结实实的，丧失了任何反抗和逃跑的能力，对母狐狸来说，这肯定比钻到笼子里捉鸡方便多了。我弯腰想捡块石头扔过去，但已经晚了，母狐狸叼住鸡脖子，大踏步地朝干涸的古河道的对岸奔跑而去。而那只诈死的公狐狸兜了个圈，在对岸与偷鸡的母狐胜利会合，它们俩一个叼鸡头，一个叼鸡腿，并肩而行。当它们快跑进树林时，公狐还转身朝我挤了挤眼，那条红白相间很别致的尾巴怪模怪样地朝我甩摇了两下，也不知是在向我道歉，还是在向我致谢。

我傻了眼，啼笑皆非。我想捡狐狸的便宜，却不料被狐狸捡了便宜！

我垂头丧气地回到寨子，把路上的遭遇告诉了村长，村长哈哈大笑，说："这鬼狐狸，看你脸蛋白净，穿着文雅，晓得你是刚从城里来的学生娃，才敢玩声东击西的把戏来骗你的。"我听了，心里极不是滋味，除了失财的懊丧、受骗的恼怒外，还体味

到一种被谁小瞧了的愤懑。

　　数月后的一天早晨，我到古河道去砍柴，在一棵枯倒的大树前，我闻到了一股狐臊臭。我用柴刀拨开蒿草，突然，一只狐狸嗖的一声从树根下一个幽深的洞里蹿了出来，刺溜一下从我脚跟前逃了过去。红白相间的大尾巴，眉眼间有块蝴蝶状白斑，这不就是那只用诈死的手段骗走了我的大阉鸡的公狐狸吗？

　　这家伙逃到离我二十几米远的地方，突然像被藤蔓绊住了腿一样，重重跌了一跤，像只皮球似的打了好几个滚，面朝着我，嘴歪咧着，咝咝地抽着冷气，好像腰疼得受不了了。它转身欲逃，刚走了一步，便大声哀嚎起来，看来是崴（wǔi）了后腿，身体东倒西歪，站不稳，一条后腿高高吊起，在原地转着圈。那模样，仿佛只要我提着柴刀走过去，就能很容易也很轻松地剁下它的脑袋。

　　我一眼就看穿它是故技重演，要引诱我前去捉它。只要我一走近它，它立刻就会腰也不疼了，腿也不瘸了，肯定逃得比兔

子还快。想让我第二次上同样的当，简直是痴心妄想！我想，公狐狸又在用同样的方式骗我，目的很明显，是要我离开树根下的洞，而这洞肯定就是狐狸的巢穴，母狐狸十有八九还待在洞里头。我猜测，和上次一样，公狐狸用"装死"的办法把我骗过去，母狐狸就会背着我完成骗子的勾当。这次我手里没提着大阉鸡，也没其他吃的东西，它们究竟要骗我什么，我还不清楚，但有一点是确凿无疑的，它们绝对是想配合默契地再骗我一次。而此时此刻，我偏不去追那只公狐狸。让骗子看着自己的诡计流产，让它体味失败的痛苦，岂不是很有趣的一种报复？

我冷笑一声，非但不去追公狐狸，还朝树洞逼近了两步，举起雪亮的柴刀，守候在洞口，只要母狐狸一伸出脑袋，我就手疾眼快地一刀砍下去，来他个斩首示众！一只阉鸡换一张狐皮，赚多了。

背后的公狐狸瘸得越发厉害，叫得也越发悲哀，嘴角吐出一团团白沫，还歪歪扭扭地朝我靠近了好几米。我仍然不理它。哼！别说它现在只是瘸了一条腿，只是口吐白沫，就算它四条腿全都瘸了，就算它翻起白眼躺在地上一动不动，也休想让我再次上当！过了一会儿，公狐狸大概明白了它的拙劣的骗术骗不了我，就把那只吊起来的后腿放了下来，弯曲的腰也挺直了，也不再痛苦地转圈了，它蹲在地上，怔怔地望着我，眼神悲哀，尖尖的狐嘴里发出"呦——呦——"的凄厉的长啸，显得忧心如焚。

焦急吧？失望吧？那是它自找的！它以为脸皮白净的城里来的学生娃就那么好骗吗？看它以后还敢不敢小瞧像我这样的知识青年！

公狐狸蹲在离我十几米远的草丛里，我则举着柴刀蹲在树洞口，而那只母狐狸则蜷缩在幽深的树洞里，我们就这样僵持了约十几分钟。

　　突然，公狐狸声嘶力竭地嚎了一声，纵身一跃，向一棵小树撞去。它扑跃的姿势和平常不一样，四只爪子紧紧地钩在肚子上，头部暴露在前。咚的一声，它的半张脸撞在小树的树干上，一只耳朵豁开了，右脸从眼皮到下巴被粗糙的树皮擦得血肉模糊。它站起来，又一口咬住自己的前腿弯，猛烈抖动身体，哧的一声，前腿内侧和胸脯处被它活活撕下一块巴掌大的皮来。皮没有被完全咬下来，垂挂在它的胸前，晃来荡去，殷红的血从伤口溢出来，把那块皮浸染得赤红，像面迎风招展的小红旗，那样子既滑稽又可怕。

　　这只公狐狸，准是疯了，我想。我的视线被它疯狂的行为吸引住，从而忽视了树洞里的动静。只听见嗖的一声，一个红色的身影趁我不备从树洞里蹿了出来。我惊醒过来，一刀砍下去，自然是砍了个空。我懊恼地望去，果然是那只母狐狸，嘴里叼着一团粉红色的东西，急急忙忙地在向土丘背后的灌木丛奔逃。奶奶的！公狐狸跟我玩了个苦肉计，我又上当了！

　　母狐狸蹿上土丘顶，停顿了一下，把那团粉红色的东西轻轻吐在地上，这时，我才看清那原来是只小狐狸。小家伙大概还没满月，身上只长了一层稀薄的绒毛，像个泡在雾里的小太阳，在地上蠕动着。母狐狸换了个位置又叼起小狐狸，很快就消失在密不透风的灌木丛里。

　　哦，树洞里藏着一窝小狐狸呢！为了证实自己的猜想，我趴在地上，将耳朵贴在洞口仔细谛听，里头果然有唧唧啾啾的吵闹声。我不知道树洞里究竟有几只小狐狸，狐狸一胎最少生三只，最多可生七只，通常生四五只。这些小家伙们本来是钻在母狐狸温暖的怀抱里的，现在母狐狸突然离去，它们感觉到了恐惧与寒冷，所以在用尖细的嗓子不停地叫唤，向它们的母亲讨取安全和温暖。

在我将耳朵贴在洞口的当口儿，公狐狸呦呦地叫得又急又狠，拼命蹦跳着，不断地用爪子撕脸上和胸脯上的伤口，弄得满身都是血，连眉眼间的那块白斑都给染红了，那张脸活像京剧里的刀马旦。

我明白，公狐狸是要把我的注意力吸引到它身上去。我自己也不知道为什么，心里头觉得堵得慌，有点不忍心再继续趴在树洞口，于是就站了起来。公狐狸这才稍稍安静了些。唉，可怜天下父母心哪！

这时，土丘背后的灌木丛里，传来母狐狸呦呦的叫声，那叫声尖厉高亢，沉郁有力，含有某种命令的意味。我看见，公狐狸支棱起耳朵，凝神谛听着，它抬起脸来，目光沉重，庄严地望望天上的白云和太阳。突然，它举起一条前腿，将膝盖塞进自己的嘴里，用力咬了下去。我虽然隔着十几米远，也能清晰地听到那种骨头被牙齿咬碎的咔嚓咔嚓声，我觉得这是世界上最有害的噪音，听得我浑身都起了鸡皮疙瘩。不一会儿，那条前腿便被咬脱了臼，皮肉还相连着，那截小腿在空中晃荡，就像连着丝的一块藕。它好像还怕我不相信它会把自己的腿咬断似的，再次叼住那截已经被咬断了的小腿，用力撕扯。它的身体因为用力过猛而笨拙地旋转着，转了两圈后，那截小腿终于被它像拆零件似的拆了下来了，露出白森森的腿骨，血喷射似的溢了出来，把它面前的一片青草地都淋湿了。它用一种期待的、渴望的、恳求的眼光望着我，一瘸一拐地往后逃，似乎在跟我说："瞧，我真的受了重伤，我真的逃不快了，我真的很容易就会被你捉住的。来追我吧，快来追我吧！"

我心里很明白，公狐狸现在所做的一切，从本质上讲仍然是一种骗术，它用残忍的自戕的手段骗我离开树洞，好让母狐狸一只一只地把小狐狸转移到安全的灌木丛里去。但面对这种骗术，我虽然能识破，却无力抗拒。我觉得，我所站立的这个地方现在变得像口滚烫的油锅，变得像个令人窒息的蒸笼，我是一秒钟也待不下去了。我想，恐怕只有立刻接受心脏移植手术，将我十七岁的少年的心，换成七十岁的奸商的心，或许还能面带冷静的微笑继续举着柴刀守在树洞口。我觉得有一股强大的力量在推着我，使我不得不举步向公狐狸追去。

公狐狸步履踉跄，一路逃，一路滴着血，逃得十分艰难。好几次，我都可以一刀腰斩了它，可我自己也说不清是由于一种什么原因，刀刃快砍到它的身体上时，我的手腕总是不由自主地朝旁边歪斜，砍在草地上。

公狐狸痛苦地哀嚎着，挣扎着，顽强地朝与树洞相反的方向奔逃，我紧跟在它的后面。我再没有回头去看树洞，不用看我也知道，此时此刻，母狐狸正在紧张地转移它们的小宝贝……

终于，灌木丛中传来母狐狸悠悠的叫声，声调平缓，这犹如寄出的一封报平安的信。公狐狸脸上露出了欣慰的表情，它调整了一下姿势，昂起头，挺起胸，似乎要结束这场引诱我追逐的游戏。刹那间，它"活"了过来，似乎想飞也似的蹿进灌木丛去与母狐狸和小狐狸们团聚。我也希望公狐狸能像上次那样狡黠地朝我眨眨眼睛，摇甩一下那条红白相间的大尾巴，然后一溜烟地消失得无影无踪。可是，它只做了个要蹿跳的样子，就突然栽倒在地，再也没能爬起来。它的血流得太多了，它死了。

成长的滋味

**牵手阅读**

　　与《泉原狐》一样，《再被狐狸骗一次》的叙述者也是一位猎人，而且也采用了与前一则故事相似的客观视角。只是在这则故事里，"我"与狐狸始终处在"猎人"和"猎物"的对立位置上。有趣的是，"我"既满怀着猎人对猎物的欲望和期待，同时却也能够以旁观者的心态和视角来描写公狐为了夺取食物和保护家庭而先后冒险设计的骗局。这两种视角交织在一起，使故事呈现出一种奇特的幽默和张力：一方面，我们被叙述者所满心怀着的对狐狸的憎恶和对狐狸皮的万分垂涎的心理所吸引着，另一方面，我们又透过叙述者的目光，看到了公狐为了保护幼狐而做出的令叙述者也令我们震撼的自残行为；一方面，我们能不断听到叙述者肯定自我和否定狐狸的声音，另一方面，我们也能从这一声音中清晰地辨出叙述者的自嘲和他对公狐的一步步加深的敬畏感。故事结束在公狐死亡这一突然静止的场景中。叙述者没有再就最后的场景发表任何评论，但它比任何评论都更能击中我们的心扉，令我们对自然和生命产生深深的敬意。

# 童话和小说中的想象与奇观

　　对于童话和小说而言，"想象"或许是最为重要的文学要素之一。然而在今天，"想象"又是一个多少有点被用滥了的词语。从最宽泛的意义上讲，任何虚构的事物都可以与"想象"沾上边，但我们又分明不满足于那些仅仅止步于虚构的"想象"。对于许多优秀的虚构文学作品来说，它们所需要的是一种既奇特又自然、既夸张又真实、既天马行空又有着细密肌理的"想象"。只有这样，文学作品才能够做到既带给读者一种知其为假的游戏的酣畅，又让读者体验到一种信以为真的投入的迷狂。

班马[1] 著

# 老木舅舅迷踪记

叫舅舅"老木",他蛮高兴的。

他本来就姓"莫名其妙"的"莫",念成"木"很容易。他才三十六岁,给他的"木"再加上个"老",就成了"老木"。他认为,这样叫他是对他够朋友,他就是研究"老"的东西的。

老木的客厅,是一间木头客厅。

客厅里的家具都是用原木造的,不漆,所以这厅里总是有很香的木头气味。厅的地下、壁上到处可见一圈圈木头的年轮。在厅里走几步,好像在跨越几百年的时间。舅舅的沙发很硬,因为它其实就是一块大树木板,坐在上面你会觉得自己像个猿人。他还有一个供休息用的藤编吊床,躺在里头可以返回远古时代做只猴子。这间客厅还安装有温控系统,顶部全是透明玻璃,厅里长满了植物,夜晚能透过树叶看到天上的星星……

舅舅在他的木头客厅里总是赤着脚,有时还喜欢光着身子。

---

① 班马,生于1951年,儿童文学作家、学者。

他并不古怪，据说他这么做是为了培养职业心情。老木舅舅的职业实在很难讲清。说是科学家，不准。说是超级间谍，容易误会。还是用个简单的算式比较好得出"他是干什么的"的答案：(生物学家+仿古心理学家+动物心理学家)×电脑专家−(怪人+小孩子)÷星球生态哲学家=老木舅舅。看来，还是很难算准他是干什么的。

老木舅舅的名言是："古老的谜，要用古老的心情才能破译，并不全靠高科技。"这句话，后来也弄得很麻烦，它同时被科学界、军事界、文化界高度重视，所以，舅舅忙得要命。

反正，舅舅每次一订机票，报社的记者就跟着也打电话订票，说："别多管，就给我订和老木博士一样的机票！"

但是，舅舅行踪诡秘，经常"失踪"。

他的经历，很多年以后才被人们渐渐解密。

# 与"枪手老丹"同行

老木舅舅赶到一座城市去探访一个被叫做"枪手老丹"的古怪艺术家。

老丹的绝妙作品，虽然只通过照片公开，却已举世轰动。这次，老丹突然要在这座城市首次拍卖惊世巨作。各地的收藏家、富豪、官方的科学家，还有情报机关的工作人员纷纷赶到，准备高价收购老丹的巨作。

拍卖，竟然是在一座肉类冷藏仓库里举行的。

大家不得不换上冷库的大棉袍，挤在被冻得硬邦邦的、吊得满满一冷库的冻猪肉之间来叫价。

老丹只拍卖一件作品。就是这一件作品已经让大家目瞪口呆了。那是一块巨大的、晶莹的冰块，冰块里面竟然有一朵真正的云！看哪，这朵云就像还在夕阳下飘动一样，不知怎么就被老丹活生生地弄到冰里去了！这是一朵美丽的、飞动的红云，还翻着一丝一缕的云气，此刻却凝固在冰里，使冰块成了一块绝世的水晶宝石！

这件命名为《恐怖》的巨作开始被拍卖。

冷藏库里顿时疯狂了。叫价从"四千万元"开始，一个比一个高！地上落满了拍卖商们急出来的冰冻汗珠子。最后，《恐怖》以惊人的"八千万元"被一位大富豪买下！

老丹走了。他什么作品也不再抛出来了。

老丹的住宅，经常被示威者包围，因为从他作品的照片上可以看到，他尽"创作"一些活生生的东西，他用绝密技术把动物、昆虫等残酷地凝冻在冰里。示威者曾切断他家的电源，可老丹无所谓，看来，他的"冰块作品"并不放在家里。

愤怒的示威者高举着各种牌子。

女权主义者："枪手老丹，可耻！"

绿色和平组织："不许冰杀动物！"

雕塑家："求求你，老丹，别让我们失业！"

军方和情报机关窥视的是老丹的秘密技术。可是没人敢接近老丹，据说，他有一杆冷冻枪，能一刹那把任何活物给"冻"在冰块之中。

老木舅舅当晚摸进了老丹的住宅。

屋里黑黢黢的。老木顺利地潜入老丹的卧室。不料，一盏油灯突然点亮！灯下正坐着老丹！他浑身赤裸，腰上只围一块兽皮，像个原始人。

老丹说："别怕。我正等着你前来。"

老木说："……实际上，我是你的崇拜者！"

"少废话！"老丹隐隐一笑，说，"拍卖会上，我看到只有

你一直在研究我这个人。我想，今晚我们会见面的。"

老木大胆地说："老丹，我觉得……你活得很痛苦。"

老丹打断他的话，说："我在等你。走吧，我想邀请你跟我一起进行一次创作旅行。怎么样？"

老木看看老丹的眼睛，决定与他同行。

老丹的车，是一辆巨大的冷藏车。老丹背着他的冷冻枪，阴沉着脸，开车上路。

老木第一次亲眼目睹老丹的"创作"，是在郊外路边的一个池塘边上。老丹端着枪就像端着摄像机一样，长久地等待着他满意的"镜头"出现。突然，他开枪了，只听很轻的噗的一声，一股气体从枪杆中蹿出，池塘的一角霎时间就变成了一大块冰，什么都给冻结了在冰里：水草正在抖动，鳟鱼嘴边的气泡正冒出来，龙虾的触须是那么灵活，连萦绕在水面上的一层雾气和倒映在池塘里的树影也全都在这块冰里！特别奇妙的是，那两只正贴着水面飞飞停停的蜻蜓，也飞在冰中了！蜻蜓的翅膀还在抖颤呢！天哪，一切都保留得跟活的一样……

老丹瞟着老木，问："你觉得它是不是应该取名叫《大自然的梦》，啊？"

老木脑筋转了一下，说："不。它叫《完蛋》。"

他们俩轮换着开车，昼夜行驶。老木觉得这一切都在老丹的一个什么秘密计划之中，可是，他不知道究竟往何处去。老丹看来并不担心自己的冷冻枪。老木也没看出这杆枪到底有什么名堂。秘密就在那些临时配制的弹药里。

途经大沙漠，老丹"冰杀"了一头狮子。他先是故意惹怒这头猛兽，让它直扑过来，然后对准它给了一枪，狮子就跳跃在了冰块中，它的每根躁动的毛发和飞扬的热沙，都永远地留在了冰里。看来，老丹要的就是这种活生生的东西！

　　一周以后，老木还是猜不出这辆装满冰的冷藏车开往哪里。当他们来到海边，老丹的疯狂行为真把老木吓了一大跳！老丹突然买下了一艘大游艇，把冷藏车开上了船，准备远航。

　　老丹拿出巨款买船："这是三千五百万，够吗？"

　　船主惊讶得快说不出话来了："天哪……船归您了！"

　　老木做梦也没想到，半小时之后，老丹又从一个当地富翁那里买下了他的私人飞机。

　　老丹拍拍飞机，说："我用三千五百万买下了。"

　　这简直是拿钱当废纸用。老木一算，《恐怖》拍卖所得的八千万元，就这样用掉了七千万！这个老丹到底想要干什么？老木不由得害怕起来。这时候，老丹已雇了两名船员，要求船员按照他所确定的航线把那艘装有冷藏车的游艇驶向大海……

　　在飞机前，老丹问："你还敢陪我继续旅行吗？"

　　老木觉得，此刻老丹的眼神里露出一种非常遥远又非常安宁，甚至还有点单纯的光来。

成长的滋味

　　他们俩一前一后坐上了这架轻型飞机。

　　在空中，老丹又"制作"了一件飞翔中的野鹅作品。老木从来没有这么近地看到过大鸟飞行时那优美而又有力的姿态。这一件命名为《无家者》的冰块坠入海中，浮在了海面上。海面上可以望见那一艘游艇和停在它甲板上的冷藏车。

　　当他们的飞机降落到海上的游艇上时，老丹就把那架飞机白白送给了那两个船员，让他们飞回了大陆。

　　现在，只剩下游艇上的老丹和老木以及甲板上的冷藏车，还有就是寂静的大海和寂静的天空……

　　老丹仰面躺在甲板上，呆望着蔚蓝的天穹出神。

　　他自己在问："看看这天空，只不过像一层蓝色的玻璃壳，它什么时候将突然被打碎……"

老木舅舅后来回忆说，这个时候，他已经感觉到"枪手老丹"像一个被吓坏了的疯子。

老丹把船驶向了越来越寒冷的地方。

老木看到他向着太阳祷告。

当有一天他们终于看到了冰山的时候，老丹显得越来越和善、安宁，眼睛里也闪出了快乐的光。他已将冷藏车内的冰块全都修饰加工了一番。老木这才明白了，老丹是将他的作品送到这个无人知道的严寒的极地来。当船驶进白色的冰峰岬湾的时候，老丹亲切地对老木说：

"我只带你一个人来这里。我的秘密就在这里！"

船最终靠上了一处冰封的洞口。

里面是一个巨大的冰窟，形成了一个天然的、寒冷的陈列厅。老木走进这冰窟里去，立刻就被眼前的景象惊呆了！老丹的作品全部藏在这里，地球上各种生命全都被活生生地保留在这里，色彩斑斓，鲜灵欲动！老木激动得差一点叫出声来，可他不敢出声，真怕这些冰里的"东西"一下子动起来……

突然，老木发觉老丹已经不在他身边。

他急忙奔出洞口。洞口边，放着一幅海图，一捆钞票，还有一张老木留给他的字条！

老木赶紧看那字条。

老木先生，您乘船回去吧。我担心地球有一天终将遇难，变成像这里一样的可怕的寒冬！生命遭到毁灭！我的技术的目的，就是为了留下生命，而不是被人用去毁灭生命。你看到了我的全部藏品，我满足了。我为地球而收藏它们。再见了，朋友！我没有自杀。我只是要留下一个"人"的作品，我把它命名为《活》。让我代表人类，守护这些可爱的生命！

当老木冲出来的时候，看到了老丹。

"枪手老丹"，这个古怪的艺术家，永远地站在了他自己的最后一件作品之中。老木看到，老丹就像他们初遇那晚一样，全身赤裸，只围块兽皮，像一个原始人，睁着眼睛望着一切，从冰块里望着外面！原来，老丹对自己开了最后一枪。他像活着一样，守护着他的冰窟洞口……

老木舅舅回来以后，发了很久的呆。

# 奇遇在北非旧战场

那一年，老木舅舅突然说，他将去参加"巴黎——达喀尔汽车拉力赛"！没有一个人相信他是真的去赛车，大家猜测，他很可能是在非洲有秘密行动。

舅舅后来说，在奇遇发生前他本人也不知道将要发生什么。

他的车手搭档是法国人巴莱。

他们俩的赛车号码是304号。

体育记者对这两个非职业选手大感兴趣：

"巴莱先生，你们是不是想玩命？"

"老木博士，看来您又对汽车产生了兴趣？"

"日本汽车制造商是怎么肯对你们二位提供赞助的……"

巴莱和老木的参赛，确实引起了轰动，日本汽车制造商山田总裁给予他们特别赞助。

赛前，这两个人关起门来不见任何人。

巴莱是老木的朋友，也是个很有名的动物摄影家。这次，巴莱请老木来帮他完成一桩密谋——他要利用拉力赛穿越非洲的机会，中途悄悄溜向沙漠深处，重返当年第二次世界大战的北非战

场，寻回一件重要的东西！

巴莱说："老木，我相信那胶卷还能用……"

原来，巴莱曾是二战时的战地摄影记者，在那一场同德国人的坦克大战中，他遗落下一筒拍摄实战的胶卷。几十年来，巴莱一直被一个固执的念头折磨着，他坚信，沙漠的气候一定会使那一筒密封的胶卷至今保存完好，如能找回，冲印出来，那会轰动世界的！

老木舅舅当时接到了惊人的卫星分析报告，说在北非沙漠上空探测到不明物体的活动！所以，两人都有兴趣秘密潜入大沙漠。

开赛那天，山田总裁大发脾气：

"什么？带摄像机？难道你们是去旅游吗？"

山田把巴莱的摄像机砸了个稀巴烂。

这件事情把两人吓得以为他们的密谋败露了。不料，当赛车经过巴黎到马赛港的第一站，被装船运往非洲的时候，山田又在船上向他们道歉，并赔了一架摄像机。

残酷的汽车拉力赛在非洲大陆开始了。

304号赛车在前几个赛段中，曾装模作样地横冲直撞过一番。不久，巴莱和老木便开始施行逃脱方案，他们假装修车，然后趁机横插进撒哈拉大沙漠……

两人驾车飞驶了四天。

巴莱一路触景生情："啊！大沙漠还是这么干净！"

当年那一场残酷的坦克大战的情形又渐渐回到了他的心头。当年的战场地形他已经在地图上研究了好几年了，现在越驶越近，他开始担心旧战场会不会被沙埋住了。

当年的地点就在前方。

当巴莱领着老木登上一道沙丘，朝下面的谷地望去时，出现在眼底的景象简直让他们大吃一惊，两人吓得急忙伏下身子。旧战场的废墟不但没有被沙子掩埋，那些昔日的钢铁武器竟然还能闪闪发亮！更让人吃惊的是，在那一片坦克和大炮的废墟中，还晃动着不少人影！再仔细辨认一下，那分明就是两支当年的军队，因为那些人影分别头戴法国兵的贝雷帽和德国兵的钢盔！

两人几乎不敢相信自己的眼睛。

突然，巴莱职业性地抓起摄像机赶紧记录眼前的惊人场面。这究竟是阵亡士兵的鬼魂，还是外星人？但是，巴莱所拍摄下来的却是真实的战争场面：这两支军队在厮杀、肉搏，石块乱飞，士兵们交战的号叫声此起彼伏。士兵的脸上满是仇恨的表情，但老木他们却听不到枪声……

巴莱惊叫起来："我拍到了血！天哪，是鲜血！"

老木一直在观察："我觉得他们不像人……"

巴莱说："那确实是鲜红鲜红的血！"

成长的滋味

这时，他们才发觉正有一小群头戴钢盔的"德国兵"从背后包抄上来！老木和巴莱慌忙跳上车，落荒而逃。由于和这群"德国兵"离得很近，他们看清了这几个穿着破烂军服、歪戴着钢盔、抓着枪杆的家伙的脸！

老木大叫："狒狒！啊……我明白这是怎么回事了！"

原来，当年持久而恐怖的战斗场面，使生活在附近石山上的狒狒群落受到了刺激，对人类的厮杀、打斗的行为，它们看在眼里，并学会了这种行为，最后竟然代代遗传下来，一直打斗不止……

老木舅舅明白过来以后，认为动物史可能会被重新改写！这里的狒狒能拆装东西，能打磨钢铁，还能模仿士兵的操练。特别令人惊奇的是，它们已经分成了"法国狒狒"和"德国狒狒"，并且相互间产生了真正的仇恨，这是动物本来所不会有的！

巴莱一路拍摄，感慨万千。

鹰巢用枪支搭成。

仙人掌，长在炮筒里。

昔日的战场上，遗弃的武器被狒狒摆弄着……

巴莱知道，这是震惊世界的镜头。

当晚，两人潜入空空的旧战场。老木找来一顶德国兵的钢盔和一套破军服，准备明天用来装扮自己。巴莱则找到一辆好位置的废坦克，准备明天钻到里面进行秘密拍摄。

巴莱悄声说："老木，你看，这里还有真子弹呢！"

老木说："幸亏狒狒没学会开枪。"

巴莱害怕地说："太可怕了，它们要是会开动坦克……"

天亮了。老木他们准备行动。

两支狒狒的军队又来开战了。要命！"法国兵"和"德国兵"还分别进行了操练，狒狒军队也会立正，列队。只见"德国兵"正组成方阵，向一个"首领"行纳粹举手礼……

巴莱吃惊地一个劲儿拍摄着。

他喃喃自语："我的妈呀，我要出名了！"

老木套上"德国兵"的行头，大摇大摆地向"德国兵"走过去。他懂一点狒狒、猴子、猩猩的语言和手势，这时就装成一只老年的雄性狒狒，向那个"首领"的地位发出挑战。他用少林拳一下就把那只称王的狒狒打败，取而代之，成了新首领。顿时，那些当"兵"的狒狒全部归顺了老木，它们都懂这个规矩。

老木嘴里在叫："吱吱！吱，吱吱吱吱！"

狒狒们也叫："吱吱吱！"

然后，这些"兵"都把自己的枪支、刺刀和石块等武器扔到地上。

这些"德国兵"全部举起了双手，学着老木的样子，一起

"投降"。老木成功地率领"德军"去向"法军"投降，弄得那边的"法军"一时莫名其妙！老木又带领着狒狒们"笑"，并用手掌猛拍胸脯表示"快乐"。最后，老木上前同对方的首领亲热，拍打，吱吱乱叫。

在老木的努力下，两帮狒狒欢蹦乱跳，终于相会在一起"联欢"了。

巴莱早已跟过来一路拍摄。他的身边还有两只狒狒"护驾守卫"，执行着老木的命令。

在狒狒群中，这时的老木已经是一呼百应了。这时，他拾起地上的一个铁罐，命令狒狒们赶快去寻找所有像罐子或筒子似的的东西！

不一会儿，狒狒找来的"罐子"已堆成小山。

那一筒几十年前的胶卷筒大概漏不下了！

突然，老木冲巴莱大叫起来："喂！该死，不要拍我！"老  木这才发觉巴莱一直用特写镜头拍着自己的这副模样，他急忙大叫："你想让我在全世界出丑啊……"

老木一下子摘掉了德国兵的钢盔，狠狠地摔在地上。

不得了啦！全体狒狒也都一下子摔掉了钢盔或帽子。

没有了钢盔，老木光着脑袋，露出了头发。

狒狒猛然明白过来，一起冲老木龇牙咧嘴起来。

巴莱着急地学叫："吱吱……"

老木拉上他逃跑，说："没用！这下我们完了！"

愤怒的狒狒包围了这两个"人"，要把他们撕碎。

老木和巴莱分别爬上了两根炮管。老木的半截身子塞在炮筒里，巴莱则倒吊在炮管上，还没忘记抢镜头。两人眼看就要没命了！

老木舅舅后来说，在这次沙漠奇遇的最后关头，他还是没料

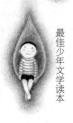
到有架直升飞机会突然出现。那个日本人山田总裁坐在直升机上赶到了他们的上空！原来，一切情形都已由巴莱手上那架山田赠送的摄像机传送到了这架直升机的屏幕上面了！

地面上，被吹翻了毛发的狒狒们吓坏了。

当老木和巴莱被救上直升机后，他们俩很难过。

老木跪在舱口往下望去："我们人类对不起动物啊！"

巴莱边拍摄边哭："再见了……我代表全世界电视观众，向你们道歉！"

山田的手上捏着那一筒黑色的战争胶卷，一脸茫然地呆望着直升机下面的黄色沙漠，只听他喃喃地说：

"现在可以告诉你们了。我也是一个老兵，这苍黄的颜色让我想起了华北的大地……我也要道歉，第二次世界大战，我曾在那里当兵参战。"

直升机在空中飞行。他们的耳朵里充满了震动空气的巨大声音：

"轰轰轰轰……"

"嗒嗒嗒嗒……"

# 古林之行

舅舅的木头客厅的墙上，挂着一幅古林的照片。

在他没讲这个故事之前，大家都没注意它。

那次，老木舅舅从东南亚原始丛林里归来，把拍摄的照片冲洗出来，贴满了一整个房间，其中，这一张由好几株古树组成的古林的照片，叫他感到特别遗憾。他最终没能够走到这几株奇怪的古树的跟前，因为那里长满了有毒刺的灌木丛，人根本过不去，而且到处暗藏着"杀手植物"，这种植物会麻醉人，伤害人，甚至能够吃掉人！老木舅舅只能在两百米之外拍摄下这张照片。

"是它们不让我接近……"舅舅一直在喃喃自语。

这张照片一被放大，就显示出了惊人的景象：绿森森的枝条和叶子中间，竟然盘满了一树的绿花花的大蛇！

"这树不想让人接近……"舅舅有这种强烈的感觉。

他用一柄放大镜仔细察看照片，突然又发现了一样东西——在一段树干上，竟插着一支锈箭。箭身早已绿锈斑斑，但那上面隐约刻着几个文字。老木舅舅看得眼睛都直了，据他所知，这种文字至今未被人类发现过！

老木舅舅当即决定重返古林。

几天以后，他和一位朋友已经驾着一艘小艇深入到了东南亚热带雨林莽莽苍苍的中心地带。这次，他约了爬行动物专家宋泰一起同行。

宋泰一路上赞叹着："原始热带雨林太美啦！"

他们俩来到一处庙窟前，所谓的庙窟其实就是在巨树的一道阴湿的缝隙中形成的空间，供的是一尊石像，石像手缠一条巨蛇。

老木跪下，合掌祈祷："伟大的原始神灵啊，我们不是来冒犯您的，请允许我们进入森林吧，请保佑我们……"

宋泰对此很惊讶："哈哈哈！你还算是一个科学家吗？"

热带雨林里潮湿、闷热，各种植物都疯狂地生长。老木和宋泰用砍刀开路，有时，他们甚至不得不爬到树上去抓住长藤，荡过密不透气的灌木丛……

宋泰开始骂森林："人又变成猴子啦！真是地狱！"

老木警告他："闭嘴！对原始老林要十分尊敬！"

他们行走了一天，老木陆续发现了一些灌木丛里的石雕残块！他的预感果然不错，这里埋着一个远古的王朝……直到宋泰拉去一个地方的层层藤叶，他们才发现这里竟有一尊巨大的蛇身

女巫神像！两人在暮色中惊呆了。

宋泰轻轻地叫道："天哪！我们发现古代文明了！"

热带雨林外面的阳光一收，这里便昏暗下来了。

他们在这里找到了许多惊人的东西：倾倒的门廊、圆柱、石盆，还有古怪的石像……这些东西都被腐烂的叶子、灌木丛掩埋着。热带雨林里散发出湿漉漉的潮气，像烟，像雾，流动在昏暗的林中。

林中一下子就变成黑夜，神秘极了。

宋泰突然惊恐地说："快听……有人！"

老木说："我的动物学家，这里不会有大动物。"

话音刚落，前面的断柱背后猛地闪出一个人影，他满脸大胡子，目光凶狠，拿着手枪直指老木和宋泰。

两人吓得魂飞魄散！

那人喝道："别动！你们来晚了！这里全都属于我！"

原来，这是一个职业盗宝贼，名叫马洛。马洛早已发现了这一片远古废墟。他的知识竟然渊博得惊人，多年来他一直在研究东南亚原始丛林中埋藏的巨大的谜团。他一直在搜寻传说中的远古王朝的一大笔珍宝和绝世文物，但始终未得手。

当马洛从老木的背包里搜到那张古林的照片时，突然冷笑起来。他也从自己身上掏出一张照片，想不到，拍摄的也是那几株爬满巨蟒的古树！

马洛得意地说："说起来，我也算个考古学家！"

他断言，藏宝地点就在那几株古树附近。

两个科学家和这个盗宝大盗，不得不在丛林里一起宿营。

老木掏出那支仿制的古树身上的锈箭，指出马洛根本没发现的东西。老木想要探究一下这箭上的文字。马洛先是大惊失色，接着狂笑起来。

原来，这箭的年代并不十分久远。马洛一眼就认出这箭正是一百二十年前闻名世界的远东大盗"皮口袋哈克"所设的记号。哈克有个习惯，他总会在自己没得手的藏宝之处射上一支刻有奇怪记号的铜箭。

马洛狂笑起来："哈克老兄，你真有良心！你把珍宝留给了我，不，我们！我们平分！"

可显而易见的是，无论是哈克，还是马洛，他们都无法接近古林。

老木到半夜还没睡着。他觉得不知该怎么办才好。接近古林，等于在帮助盗宝贼盗宝；退出古林，自己又被马洛用手枪挟持着。而且，老木自己也对古林充满好奇，他只能对自己解释说："原始神灵啊，我重返古林只是想探明它的奇怪树种……"

凌晨，老木和宋泰被马洛恐怖的叫声惊醒。天哪！只见马洛头朝下，被高高地倒挂在半空中，一根树藤像条蛇一样死死地缠住了他的脚腕儿。看来，这树藤是在夜里悄悄垂下，爬过来将他吊起的！

老木虽然早就知道古林周围的植物会杀人，可亲眼目睹后还是大吃一惊！确实奇怪，昨夜马洛为了看住他们俩，三个人的腿是交叉着贴在一起睡的，这藤蔓却好像清楚它要抓谁。再一看，马洛的那把手枪也被另一根树藤高吊在树顶上。

马洛吓得狂叫："快救我！啊！这树要吃我！"

这并非假话。那树上开着散发着恶臭的巨大的黄色花朵，花瓣里长满了毛茸茸的毒柱和毒粉，人一被包进去肯定没命。

老木要马洛答应一件事·绝不盗宝！

马洛连忙赌咒发誓，还不停地打自己耳光。

老木朝树身上扎进了一根粗针管，注射了一种药剂，不一会儿，树枝和树藤全都像被麻醉了似的松散开来。马洛被松开，掉在地上，跌得半死不活。

老木严肃地冲马洛发出警告："这是植物保护自己的一

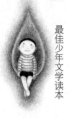

次行动！"

他相信，这片远古老林是有威力的。大概，它不欢迎有人来冒犯它吧！

他们三个人终于接近了古林。

老木还带来了特制的喷雾剂，这样，才得以让守卫古树的"杀手植物"全都"休克"。

可是，当临近古树时，他们心里突然都害怕起来，觉得古人智慧的奇妙至极。

你看，古人在几千年之前已经将一切都安排好了：丛林与世隔绝，"杀手植物"拱卫四周，奇异的树液吸引来大蛇，蛇吃掉了蜥蜴和蛙，这样，昆虫就繁殖起来，然后就招来吃昆虫的鸟，鸟吃掉昆虫，粪便又养了树，蛇又以鸟充腹……千百年来，蛇就这样镇守住了这古林！

宋泰扔出了几枚驱赶蛇的气体炸弹。不出一刻钟，所有的大蛇都逃之夭夭了。

马洛发狂地冲上前去，可树下没有一丝藏宝的痕迹。他死也不信，于是爬到充满腥气的树身上将树洞都查看了一遍。

他气得拔下那支锈箭，大叫："哈克不会错！"

古林像个巨大的谜团，使两位科学家也疯狂起来。

三人用马洛的工具朝古树下深挖下去。挖了一阵，没有，土还是土。可是，他们却越来越拼命地挖下去，谜底不揭开，好像没人能忍受得了！

老木心里感到莫名的害怕，不由得停下了手，他说："我们随时可能有危险……"

马洛和宋泰头也不抬，越掘越深，人都埋在坑里了。突然，高耸的树冠倾斜了，树身嘎吱一声就倒了下去，快掏空的树根这时慢慢地从深坑下翘了上来，把三个人惊得目瞪口呆！

一口镂空雕花的古老石箱，被古树的根像大手一样抓住，死死不放！

马洛完全疯了，他一下拔出刀，挥刀拼命去砍那像老人手指一样的树根！树根断了，顿时散发出一阵浓烈的香气……

这股香气一飘上来，三个人的眼睛就什么也看不见了！他们只感到眼前似乎晃动着一个绿色的太阳，永不停息地散发着耀眼的光芒……

一周之后，这三人破衣烂衫地爬出丛林，获救。

三个月过去了，他们的视觉才逐渐恢复。

以后，他们每次一看到绿树，就心生敬畏。

老木舅舅在他的木头客厅里，讲述他的那次古林之行。

他说，关于那个地点他们三人都将不对任何人说。

## 牵手阅读

成长的滋味

在这篇童话中，现实世界的真实感与想象世界的神奇性被杂糅在一起，制造出了一种似真亦幻、似幻还真的叙事效果。"枪手老丹"疯狂的冰冻行为，原来是为了替地球留下生命曾经存在过的证据；北非沙漠上由狒狒上演的残酷战事，竟是人类战争行为的遗存和写照；而老木舅舅的古丛林之行，则显示了自然法则对人类贪欲的惩罚。每一个看似把我们带离现实世界的神秘事件，最终却领我们回到对于现实的反思和领悟中来。作者是一位对自然、对生命、对文化有着自己的独特理解的作家。我们能够感觉到，关于老木舅舅的这三则故事，都染有一种深切的悲悯情怀。对于人类肆意破坏地球生态的种种行为，作者的笔墨中透出明显的谴责之意；但作为人类的一员，作者又不得不无奈地承受着这一谴责。所有这些使得这部作品既充满想象的轻盈和奇诡，又满盛着现实的深沉与悲哀。前者酿制出故事的趣味，后者则成全了故事的深度。

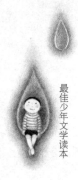

葛冰① 著

# 白板

他做梦都没想到，自己会长出这么一颗大门牙来。门牙就在他上下唇中间，四四方方，白白亮亮，宛如麻将牌中的"白板"，所以古人说的"笑不露齿"，他是绝对做不到的，他只能老龇着牙。

小孩子们见了他都喜欢摸一摸他的牙，他也蹲下来让他们摸。摸够了，孩子们又说他挺像蟋蟀中的"老米乖乖"。因为老米乖乖牙就特别大，又不会咬架。老米乖乖就老米乖乖，他也从不介意。

老米被介绍到小街的"杏花酒店"帮工。他在老板面前挺胸收腹，双臂肌肉鼓起，表示自己浑身有的是力气。酒店老板皱着眉头说："人来可以，但牙不行。"老板嫌老米外观形象不好，让他把牙去掉才肯收他。

于是，老米去找牙医了。瘦而小的牙医把他的大牙摸了又摸。先用小手钳，又改用大钳，直至最后，从隔壁铁匠铺借来夹

①葛冰，生于1945年，儿童文学作家。

铁棍用的大老虎扳子，扳住大板牙。牙医用尽了力气，身体都被老虎扳子吊得在老米面前打起晃儿来，大牙却安然无恙。牙医终于泄气地松开大扳子，一屁股坐在地上说："你这不是人牙，简直是狗牙——天狗牙。"

天狗就天狗，老米倒觉得没什么，不料这么一叫开，却招来了大麻烦。

武行十三街有一位武功盖世的老爷子，叫郑明月，是黑月帮掌门人。他不仅能将一把青龙偃月刀使得出神入化，更有一手"明月十三珠"的暗器功夫，天下奇绝。现在有人要当"咬月亮的天狗"，正好犯了他黑月帮的忌讳（huì），这不是"老鼠舔猫鼻梁——找死"吗？

两个黑衣汉到老米的小屋送帖子来了。

"这是什么？"老米没见过帖子，也不认识字。

"没见过吧？"一个瘦汉子得意地说，"这是我们老爷子给你下战书来了，约你明日午时三刻，在街口上比试功夫。"

老米不会功夫，可他觉得做人应该讲信用，既然人家约好了，他若不去，就是失信了。

所以第二天，他换上一件干净的衣服，早早来到街口，他怕迟到。

街口人山人海，全镇的人都来了。中间空出一个场子。老米也挤在人群中间，探头探脑地往里看，看了半天，场子总被前面的后脑勺挡着，看不大清楚。他最后实在憋不住了，便拍拍前面那人的肩膀："劳驾，空一点儿地儿，让我也看看。"

那人回头一看是老米，便笑着说："不用空一点儿，圈里边的地方都是你的。"

人们笑着把老米拥到场子中间，老米这才看清，圈内已有八条黑衣汉子，各个双手叉腰，不声不响地盯着老米的板牙。老米

的牙平时早就被人看惯了，这会儿倒也不以为意。他想起自己刚才看不见圈里的难受劲儿，就好心地把板牙龇得更厉害点儿，好叫人们看得更清楚些。

人群中突然一阵骚动，接着空出一条道来，四个人抬着一顶小轿子轻轻走进圈子。轿子往场中间一停，轿帘一挑，走下来一个穿青缎长袍、长得尖嘴猴腮的老头儿。刚才叉腰的八条汉子一齐恭恭敬敬地冲他行半跪礼，口称"祖师爷"，老米也不由自主地学着他们的样子叫了一声"祖师爷"。老爷子惊愕地翻着眼珠望着老米："刚才是你叫我祖师爷？"

老米忙说："我看他们叫，我也跟着叫了。"

老爷子冷笑一声："我是来和你比试武功的，你却这么叫我。难道你害怕了？"

老米老老实实回答："怕倒没怕，我又不知你叫什么，见他们都叫你'祖师爷'，想必那是你的外号了，便也这么叫了。你的外号比我的好，不像我，先是叫'白板'，又叫'老米'，现在又叫什么'天狗'，说我这牙是天狗牙，专咬月亮。"

他这一番话逗得周围人都乐了。老爷子却勃然变色，盯着老米厉声问道："你觉得你这牙能咬动月亮？"

老米搔着脑袋说："没试过。"他说的倒是大实话，但在别人听来，就是挑衅的语言。

老爷子冷笑一声："好！好！今天看看，到底是你的牙硬，还是我的明月十三珠硬。小心我打掉你这天狗牙！"

老米忙拍手说："那再好不过，我这牙是磨盘磕不掉，老虎扳子扳不掉。你若拿那什么珠把它弄掉，我真是大大感谢你了。"

老米说的是肺腑之言，那老爷子却听成了是故意气人的话，是在向他"叫阵"。他袖袍一抖，手掌中已托着十三颗白亮亮的珠子，每颗都有手指头肚儿大小，全是精钢打成，在老爷子掌心中转动，发出哗啦哗啦的声响。老爷子足尖一点，身轻如燕，跃至轿顶上，一个金鸡独立，单足踩在轿顶的尖上，向老米吆喝一声："小子！看珠！"掌中一颗钢珠激射而出，直射老米的大牙。

老米正看得入神，忽见一个白晃晃的东西风驰电掣地向他飞来，他虽不怕掉牙，却也紧张，于是本能地一闭眼睛。钢珠快如闪电，眼看就要击在白板牙上，忽听噗的一声，精钢珠子全散成了细小碎片落了下来。

"咦？这牙怎么没掉？"老米奇怪地摸着自己的大牙，接着，他皱眉噗噗地朝地上啐了两口，嘟囔道，"你那珠子是土做的吗？怎么落了我一嘴泥？"

老爷子脸色惨白，并不答言，一咬牙，手又一扬，剩下的十二颗钢珠连续射出，眼看又要打在老米的大牙上！又是噗的一响，十二颗钢珠竟然飞了回来，老爷子慌忙抓在手中，精钢珠滚烫至极，竟将他掌心烫下一层皮来，他强忍住疼痛，没有做声。刚才的情形众人都没看见，他却看见了，他两次射出的钢珠正要击中大牙时，却都被不知从哪里来的泥丸击中，第一次泥丸将钢珠击碎了，第二次将钢珠打了回来。泥丸到底从何而来，老爷子也没看清，但泥丸能敲碎钢珠，很明显，对方武功远在自己之上。老米又说什么"土做的"，这使他更怀疑老米就是那抛泥丸之人。

老爷子暗叫一声"惭愧"，满脸通红地跳下轿向老米一拱手说："多谢大侠手下留情，在下认栽了。"说罢便低头走出场子。

杏花酒店的老板把老米叫了去，主动雇用他当伙计，不是干粗活，而是专门站在酒店门口招呼客人，用现在的话说叫"礼仪小姐"。老板说："人长得丑不丑没关系，只要牙在就行。"因为自从街口比武之后，老米的牙声名大噪。

不光老米的牙有人来看，还有人摸。摸牙的大多是小孩，但

也有一个白胡子老头儿夹在里面，每次数他摸的时间最长，从老米牙尖一直摸到牙根，然后再摸回来。每当酒店老板表示不耐烦时，白胡子老头儿便不声不响地取出一块银子递过去，老板便不声不响地将银子拢在袖里，笑眯眯地离开。

"你不向我要钱？让我白摸？"白胡子老头儿小心地问老米。

老米龇着牙连连摇头。他想，只要能让人高兴，他何乐而不为！

白胡子老头儿每次摸完离开酒店时，都回头看老米一眼，说："可惜这牙长在你这样的老实人身上，要是长在强盗嘴里就好喽！"老米不明白他这话是什么意思。

白胡子老头儿摸了十来日，终于不摸了。老米发现最近自己夜里睡觉总是睡得很死，一闭眼就到天亮，待醒时，满嘴都是异香味。他的那颗大牙似乎也在变，由方方正正变得圆了，到后来牙里还出现了小洞洞，洞里似乎还有东西，晃一晃，哗啦哗啦响。

但再也没有孩子敢摸他的牙了。因为不知怎的，只要谁的手指一摸老米的大牙，后背便像被无形的针刺了一样，顿时手脚麻木，动弹不得。到后来，老米自己也不能摸牙了，他只要一摸牙或一晃脑袋，就口歪眼斜地抽筋。

老米怀疑是那个白胡子老头儿搞的鬼，因为这些日子这个老头儿一直也在酒店里陪着老米和他的牙。

老米终于生气了，他想骂人了："不知哪里来的捣鬼的老东西，拿俺的牙穷开心。让俺的牙掉又掉不了、长又长不长地老悬着，俺可要骂你了。你要真有本事，帮俺把这大牙弄掉。"

他刚说完，坐在桌边的白胡子老头儿一下子蹦了起来，目光炯炯地问："你真不要这牙了？"

"我早就说过多少次了，你不知道？"老米问。

白胡子老头儿摇摇头，瞅着老米说："要是我帮你把这牙弄下来，你肯给我吗？"

老米说："那有什么不行的？问题是你白费劲。这牙让磨盘磕过，老虎扳子扳过，十三珠打过……"

老米还未说完，白胡子老头儿取出一大锭金子放到老米面前："这个给你！"

老米说："我凭什么要哇？"

白胡子老头儿眼一眨巴，又回身小心翼翼地从包袱中取出一个锦盒。打开来，众人皆吃一惊。锦盒里是一个用象牙雕的小龙船，船上雕有三层楼阁，还有数十个小人儿。

这样的象牙雕天下少见，价值连城。

白胡子老头儿把象牙船雕也递过来："加上这个，够了吧？"

老米连连摇头："我什么也不要，这牙我本来就不想要，你把它弄掉，我谢你还来不及呢！"

"好！好！"白胡子老头儿欢喜得抓耳挠腮，像猴子一样。

成长的滋味

他忙不迭地收起金元宝、象牙龙船，通通装进包袱里，又飞快地从袋子里取出一把极精巧的小凿刀来，一边小心翼翼地敲击老米的板牙，一边口中连声说道："不瞒你说，你这大牙可是天下第一好料。我细看了十几日，那质地比最上等的象牙还要好出许多倍。这样的宝贝我走遍天下还是第一次看到。那一日在街口我用泥丸替你挡住钢珠，就是怕那厮毁了这宝料。说实话，你要是坏人或强盗，我早就不客气地把这牙偷敲了去。可惜你是个大好人，我不能强抢，这牙自己又掉不下来，我手又痒得受不了，故而夜夜用香雾把你迷倒，然后在你那牙上雕琢。不是吹牛，老叟我雕技天下第一，已将你这大牙雕成了七八层的空心球，就是球中套球，你千万别动，待我小心把这牙球取下。"

白胡子老头儿说着，脚尖在地上虚踩两下，身体竟然离地一尺，悬空飘浮，也不见他手怎样动，只听到叮叮咚咚的玉石之声

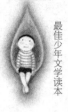

不绝于耳。

终于，他把牙球从老米嘴里取下，小心地捧着，用丝绢裹上，然后放进一个方形锦盒中。

"好料！好料！几千年难遇的好料。"白胡子老头儿笑得眯缝着眼，又回头问老米，"你真的什么也不要？"

"不要！不要！"老米连连摆手，习惯性地摸着嘴唇。

"好极了！我去也。"白胡子老头儿一声呼哨，身体一晃，声音已到了外面屋顶，"谢谢！"

酒店老板看着老米，叹了口气，说："唉！你至少也应该要那锭金子，真是傻瓜！你会后悔的。"

老米咧嘴笑笑，他才不后悔呢。没有大板牙，他会快活许多，只是，他想到以后再没有小孩子来摸他的牙了，心里不免有点儿寂寞。

## 牵手阅读

　　"白板"是一颗门牙的"雅称"。就是这么一颗门牙，经过作家的文学夸张和创作，成了一则奇异的武侠故事的主角。作品的情节推进十分利落，从介绍老米的生活到他与郑明月之间那场颇令人揪心的比武，再到身份神秘的白胡子老头儿取走那颗已被连夜雕成"七八层的空心球"的"牙球"，几乎没有闲笔。这里面既有一般武侠小说的打斗模式，又有别出心裁的奇思妙想。最难得的是，作者能够在如此短的篇幅里，把向来难以免俗的武侠小说处理得如此纯粹和朴拙。我特别欣赏故事中"老米"这个形象。这是一个忠厚得带点愚笨，却又善良得十分可爱的市井平民，在他身上，有一种不属于武侠小说的人间烟火气。尤其是在故事最后他留给我们的憨厚笑容里，有一股浅淡的温暖气息在氤氲开来。

# 幻想能带科学走多远

科学与想象是一对既相互对立、又能够彼此转化和促进的概念。人类走向前去的每一段历史，是把想象变成科学现实的过程，同时，也是在科学里展开新的想象的过程。幻想能带科学走多远?这个问题的答案与幻想本身一样，是永远没有边界的。

[法国]
希尔维·博西埃 著
刘跃进 贾虹 译

# 有弹性的时间

你已经了解到有多少科学家在研究时间，还知道人类为建立一个共同的生活时间是如何发明历法的。那么，这个未来时间是绝对的、普遍适用的，还是根据我们的行为而确定的呢？时间的长短对每个人都一样吗？在下面这段由法国物理学家保罗·朗日万所写的故事中，你会找到答案。保罗·朗日万曾于20世纪初与阿贝尔·爱因斯坦一起工作，研究相对论。

有一对20岁的孪生兄弟住在地球上。其中一个要去探索宇宙。他的超速火箭的飞行速度能达到每秒297，000公里，接近光的速度。他在登上火箭之前对他的哥哥讲：

"我的火箭飞行速度非常快，但是我将访问的那个星球离这里有20光年的距离。我将会离开很长一段时间……"

"那是多远？用1年吗？"

"95，000亿公里……"

年轻人登上火箭，开始了他的远行。

他远行归来后找到了哥哥。留在地球上的哥哥已经是80岁的老人了——自从弟弟的火箭飞入太空，哥哥在地球上已经生活了60年，而去太空旅行的弟弟还只是一位30岁的年轻小伙儿，他的手表清楚地记录了他的这次太空旅行仅仅用了10年时间。这种时间差距主要是由火箭升空时的加速和返回时的减速所致。

这说明，时间是可以因速度而改变的，不存在把两件事永久隔开的固定时间。

这则故事便是著名的《悖论孪生兄弟》。它充分说明，时间不是绝对不可变的。同样，17世纪末，伊萨克断言：时间不仅有伸缩性，而且可以改变，最主要的是，时间与空间的关系使时间可以产生速度。在日常生活中我们无法证明这一点，但是物理学家们用超音速飞机进行绕地球飞行两周的实验时观察到了这一现象。那架飞机上装配有原子钟。当飞机回到起点降落时，原子钟所显示的时间与留在地球上的另一台原子钟的时间相差了几纳秒。

［法国］
希尔维·博西埃 著
刘跃进 贾虹 译

# 人能摆脱时间吗?

有谁能摆脱时间呢？也许是那种拥有能够控制时间的机器的人，或者是那种能够去未来世界旅行然后再返回到现实世界的电影中的英雄……但是，实际生活中，会有这种人吗？摆脱时间也许是这么一回事儿：对一件事情的着迷使你暂时忘却周围的一切，比如当你玩电脑游戏的时候，当你看电视的时候，当你读书的时候……你都有可能被完全地吸引住，一时，你忘掉一切，摆脱了时间……

关于摆脱时间，对我自己来说，有一段永恒的记忆。那是发生在巴黎奥赛博物馆的一件出人意料的事情。当时我在展厅里溜达，漫不经心地环视着周围，突然，悬挂在墙上的一幅画锁住了我的眼球。画面上是一个背对着我们的男孩，正在公园里玩沙子，背景呈赭石色和绿色，像是秋天的场景。我呆站在那里，凝视着画中景色，就好像这幅画是特别为我而画的。我一动不动地站在那里，全神贯注地注视着它，忘记了周围的一切。

　　绘画、雕塑、音乐等艺术作品是以一种客观存在的形式展现在我们面前的。如果用美学的眼光来审视它们，就会产生一种心灵撞击似的情感，令人暂时忘掉时间。这种情感能使人产生一种永恒的直觉。它不只是对前一次经历的重复，随着时间的延续和推移，它还是可以摆脱时间的一个出口或一扇门的。但是，人类可以没有时间吗？那些关于"永恒"的概念，说到底，难道不是在否定时间吗？

　　在人类无法逃避但又遥不可及的彻底毁灭的那一刻到来之前，我们不能像被判了死刑的囚犯那样打发时间，而应像大富翁那样享受眼前的生活，我们应学会努力规划和设计我们的未来。

[英国]
谢尔顿·格拉肖① 著
张荣昌 译

# 地球还会转动多久？

你们想从我这儿知道的是，地球还会转动多久。这确实是一个好问题，因为当我们能够思考时，我们就一直在考虑这个问题。我自己之所以成为物理学家，仅仅是因为，我在学校里永远也弄不明白地球和月亮究竟在干什么，所以我就决定自己来弄清楚。现在，你们一定要好好儿留神听，因为我所要给你们讲述的，并非全都很容易理解。连最聪明机智的人也会为你们提出的这个问题，绞尽脑汁而找不到答案的。

而我们所知道的则是，地球在绕着自己的轴线转动。轴线是指一条人类想象出来的北极和南极之间的线，这条线精确地通过地球的中心点。一切都在随同地球一起转动，也包括我们人类。当然，我们感觉不到这一点，因为地球是如此之大，它的运动在我们看来就显得缓慢至极。但是，你们能够从每天的早晨和晚上的一些时刻察觉到地球在转动。如果你们和你们的父母所在的地

---

① 谢尔顿·格拉肖，生于1932年，英国物理学家。

方朝向太阳，这时就是白天；如果你们所在的地方避开太阳，这时就是黑夜。你们就想想一个玩具陀螺好啦。你们给它必要的推动力，它就会转动。然而和陀螺不一样的是，地球不仅在原地转动，同时还绕着太阳转圈儿。仔细看去，这不是真正的圆，而是椭圆。椭圆就是一条看上去就像绕着一个鸡蛋画一圈儿的线。

现在我们最好想象一下三个球状体：一个是地球，一个是月球，还有一个是太阳。三个球自身都在转动着，此外，它们还不停地在所谓的公转轨道上活动着。地球绕着太阳转，转一圈就是一年。月亮绕着地球转，转一圈大约是4个星期。太阳绕着银河系的中心转，这个中心是一个大得令人难以置信的空间，太阳、月亮以及所有的星星都在这个空间里，这一转动大约要转25，000万年。这个时间长得让我们简直无法想象。你们既然想知道地球还将转动多久，就一定也想知道，这一切是如何开始的，是从什么时候开始的。可惜，我们之中没有哪个人能清楚地知道这些。我们猜测，大概几十亿年前曾发生过一次大爆炸——原始爆炸，在爆炸过程中产生了原子，随同这些原子一起也产生了各种物质，各种物质中那些坚固的部分，组成了绕着太阳转动的各种行星。但是，太阳究竟是什么时候生成的，这一点我们只能大约估计，因为这涉及到用我们的时间概念无法理解的一段时间。

我刚才谈到的那些行星，今天我们已不再认识它们了。我们只知道它们曾经存在过，我们的地球以及晚上你们在天空中所看到的星星，就是由它们生成的。发生了这样一个过程：原始行星像饼干破碎那样破碎了，因为巨大的引力影响了它们，随后，尘埃、碎石便在宇宙中呼啸地飞过，所有的这些物质形成团块，这些团块又生成新的形态——卫星、行星或彗星。这三种形态你们都知道，譬如我们的月球就是一颗卫星，我们所在的地球是一颗行星，而一颗彗星它在宇宙中飞行，你们有时也能看见它。

地球为什么绕着自己的轴线转动，这一点我们不知道。地球就是这样转动的，虽然它大可不必为了待在它的公转轨道上而这样转动。在这里我要再强调一遍：宇宙中有许多我们无法解释的事物。我们知其然，却不知其所以然。许多这样的事物我们也许将永远也理解不了。我认为，人们之所以喜欢谈论上帝——一个全能的造物主，他创造了宇宙，包括各种行星，地球上的人类、动物和植物——是因为人们想到了一种不可抗拒的力量，我们不懂的，这种力量全懂，这对我们来说是一种安慰。但总是有很聪明的人，他们研究我们的世界，并且已经发现了一些有关这个世界的秘密。其中的一个人是艾萨克·牛顿，他生活在距今很久以前的英国。他曾发现了运动定律：一个坚硬的、固态的物体在进行直线运动时，若没有遇到阻力，它绝不会停止运动。这一定律一个重要的前提是：这个物体是固体。人们称这个理论为"牛顿运动定律"，你们一定会在学校里的物理课上学到它的。

你们看，回答你们的问题，不是一件很容易的事。我们先得谈许多别的事情，但是我们已经渐渐地接近我们的目标了：运动受到阻力而停止。这种阻力可能是地面或水，也可能是空气。虽然这些话现在对你们来说，听起来滑稽可笑。譬如，你们把手从一辆正行驶着的小汽车的车窗伸出去，你们会感觉到什么？正是阻力。再譬如，每一个球，每一个台球，每一块砖一落到地面上，就停止运动了。但在宇宙中，这些东西将永远继续飞行，因为太阳、地球和月球所飞行于其中的宇宙，是一个没有空气的空间，这个空间中没有阻力。

为什么月球绕着地球转，地球绕着太阳转呢？答案很简单。它们互相吸引，像磁铁一样。从根本上说，你可以把每一颗行星想象为一块磁铁。太阳、地球和月球在理论上将会相向运动，直至它们互相碰上——假如它们之间不是这样相距无限遥远的话。

但是，使它们互相吸引的这种引力还不足以做到这一点。月球距离地球约384，400公里，地球距离太阳约15，000万公里。我们之中没有人能够想象这些距离究竟有多远。但是，你们在电视里一定看到过这样的情景：一个记者从欧洲向美国的一位同事提了一个问题，两个人相距十分遥远，问题得过一会儿才会传到对方那里。这只是几分之一秒的时间，但是我们还是觉察到了，因为这个问题必须要"旅行"，它经无线电通讯传至在地球上空飘移的卫星，然后又从卫星传回地面。如果我们向月球上的一个宇航员提一个问题，大约需要传递1秒钟，这个问题才能到达月球，而到达太阳则需要8分钟，因为太阳离地球太远。

那么，我们现在知道，地球、月球和太阳一直在运动，因为它们在宇宙中奔驰，宇宙中没有阻力。现在事情变得有趣起来了。我马上就给你们解释，为什么尽管如此，地球还是不会永远运动下去。你们记得牛顿曾经说过，一种运动会无止境地进行下去，如果这是一个坚硬、固态的物体的话。可是，我们的地球不"坚硬"。你们不妨把它看做一块夹心巧克力糖，它由好几层组成：一层液态的核，一层中间层，一层外套，一层表皮，以及罩在四周的一层外壳——这就是我们上空的空气层（在这个空气层的上方还有宇宙的真空）。在空气层中有什么东西在运动，这一点你们也知道，那是云在飘动，风在吹拂。此外，你们还应该知道，在"夹心巧克力糖"的各个层面中都存在运动。这种运动部分以相反方向进行着，就像地球表面的运动。由于相叠的各个层面在某种程度上可以说是在漂浮、运动和做着极其奇特的事情，所以说，地球不是刚体。

现在，你们只需想着地球的表皮层。我们就是在这一层上运动的，它是我们能够看见的土地和海洋。地球的表皮层是我们的"夹心巧克力糖"各层中最薄的一层，其中的70％被水覆盖。

最大的水面是四大洋，它们有落潮和涨潮。我希望在我继续讲述之前，你们先做一个实验：拿一只大塑料碗，将它装满水并摇晃它，如果你们现在试图移动这只碗，你们就会发现，你们所用的力气要比水在碗里静止不动时更大。

可惜的是，我们的地球在慢慢地耗尽力量，因为它必须带着所有这些因落潮和涨潮而晃动着的水不停地转动，所以它越转越慢，并不是慢了很多，也许每年只慢几分之一秒，但是岁月却因此变长了，所以我们不得不一再地把钟表的指针往后拨。在恐龙存在的年代里，地球转动得比现在快。那时的一天大约只有23个小时。在将来的某个时候，一天将会有25个小时，然后26个小时，如此等等。所以总有一天，地球会停住不动。现在你们不必害怕，因为这还要经过无限长的时间，才会发展到这个程度。但是在这段时间里，月球也会发生一些事情，这些事情同样也起到了这样一种作用：它越来越远离地球。它的引力减弱了，因为它也自转得慢了。我们向月球发出信号，并等候着信号返回，这样我们就能够把月球与地球的距离测算出来。今天，岁月延续的时间比从前长，虽然只是长出了极微小的一点点，但还是长了。

成长的滋味

所以，地球越转越慢，月球则越离越远。在我们的未来将会发生什么事情，我们只能想象。物理学家认为，月球在脱离它现在的轨道后将重新回归地球。"怎么呢？"你们现在会问我，"为什么它会转过身回来呀？"你们问得对。但是，尽管如此，这样的事情还是会发生的，因为月球越来越接近太阳，太阳将把它重新送回来。对这一点你们还就得信我说的，这一切我曾进行过长期的研究，就是为了要把它弄懂。现在要详细地说明这些过程，实在太复杂了！

月球将极其危险地接近地球，巨大的引力将作用于月球，使它破裂。所有它的那些破裂的碎片将会雨点般地落在地球上，从

而毁灭我们整个世界。你们现在大可不必为你们的家人或朋友担心，因为还得过无数个百万年，事情才会发展到这个地步。我相信到那时，人类早就找到了一个新的宇宙，其中有另一个太阳，另一个地球和另一个月球，人们将会有可能到那里去。这个新的宇宙将会在哪里呢？我不知道。但是我们毕竟还有足够的时间去发现它。

## 牵手阅读

　　《有弹性的时间》、《人能摆脱时间吗？》和《地球还会转动多久？》这三篇具有科普性质的文章，既有着对于科学知识的具体、生动的介绍，也有着在这些知识的基础上所展开的对宇宙时间和地球未来的大胆想象。我们看到，科学知识赋予文字以坚固、结实的质感，在此基础上所展开的想象则进一步赋予它神秘、深远的气息，两者结合在一起，使文章既富于科学性，也具有很强的可读性。对于世间和宇宙中那些已知的事物，我们称它们为"知识"，而对于那许许多多未知的领域，我们则把它们交给"想象"。尽管如此，在宇宙中还是"有许多我们无法解释的事物"，而且"许多这样的事物我们也许将永远也理解不了"。由科学和想象所带来的"知识"是一种力量，但它同时也让我们意识到更多"未知"和"不可知"之物的存在。这一认识使我们在运用科学和想象的力量的同时，也仍然懂得对自然、宇宙和万物充满敬畏之情。

王磊 著

# 机器时代

成长的滋味

"亚历克斯，我们要个孩子吧！"妻子在我快要睡着时说。

"好啊！要个克隆的吧！像我。"我懒懒地回答。

"不！要个机械的，那样的孩子聪明听话！"妻子说。

"要克隆的！"

"要机械的！"

"要克隆的！"

"那你明天就出去工作，看你回来是要克隆的，还是要机械的！"妻子说完就背过身去不再理我。

出去就出去，有啥了不起的！正好出去逛逛，多久没出去过了？两年，还是三年？一个大男人整天被机器保姆一样的妻子养着，也确实有点那什么……

第二天一早，妻子先安排我吃饱喝足，然后，我查到了几家正在招聘的公司之后，就出门了。

外面的世界真是变化挺大！只是公交车上照样拥挤不堪。一

不小心，我被人踩了脚。

"喂！你踩着我的脚了！"

"哎呀！对不起！你看，我后面没有安电子眼，真对不起！"

"'对不起'多少钱一斤哪？"我一抬脚就朝他的脚上踩了下去，随后我就红着脸闭着嘴忍了半天。"妈呀！好痛！"最后，我实在忍不住了，还是叫了出来。

"你看，实在对不起！我的脚是不锈钢的，又硌着你了吧？"那人一脸真诚地道歉。

"现在的人真有礼貌！"看来遇见不好惹的了，我只能见好就收。

"谁放屁了？"售票员高声叫道，"你的排气超标了！一氧化碳过量，铅含量过高，而且燃烧不充分，浪费资源不说，还污染大气！该换个过滤器了！"

一个机器人喃喃地说："我知道了，回去一定换，一定换……"

嗬！放屁也有人管了！

终于到了目的地。我下了车，走进一座大厦，挺高的，有二百多层吧。一踏进电梯，只听呼的一声，我几乎被压扁在电梯里！这电梯怎么这么生猛？我记得自己进的不是货运电梯啊……

好歹来到了第一百九十八层——招聘公司所在的楼层，我喘息了一阵，稳住心跳，然后叩开了招聘经理的门。

"您好！我来应聘。"

"请进！"

我推门走了进去。

"你好！请坐！"招聘经理挺热情，"我们公司需要的可是具有高性能芯片的，而且……"听着那家伙絮叨，我知道又是招聘机器人的，也是，现在还有几个自然人出来工作的！想到自己的尴尬处境，我不禁干咳了几下。

"来杯饮料吗？"

"谢谢！"我确实有点口渴了，连忙接过杯子喝了两口。怎么这么难喝！我又喝了一口，味儿真的不对啊！

"这是什么饮料？"我又喝了一口，感觉像是……机油！

那经理眨着一对小电子眼："你不是机器人吗？"

"你祖宗才是呢！"

"哎呀！实在对不起！那是机器人的专用饮料——润滑油！真对……对……对……"

"还对呢！害死我啦！"我感觉自己的肠子好像开始被润滑了！

"对……对……"

"对什么对！"哎呀，不对！这家伙好像死机了，还什么"高性能芯片"呢！我摁响了呼叫器，把保安叫了进来。两个保安进来一看情况，顿时傻在了那里。"你们的经理死机了！别愣着张不锈钢脸，还不快叫人！"

他们忙他们的，我还得忙我的。我急匆匆地走到服务台前，问："小姐，请问洗手间在哪里？"

服务小姐那电子合成的声音十分悦耳动听："洗手间在二楼，顺走廊往南走，走到头右转，穿过大厅右转，路过会议大厅再右转，再走不到十米右转就到了！"该死！右转……右转……右转……这不是戏弄人嘛！顾不上那么多了，我转身冲向电梯，那悦耳的声音从后边撵了上来："先生，忘了告诉你，电梯出了一点小毛病，估计一会儿就能上来……"

"'一会儿'是多长时间哪，小姐？"

"大概就半个小时吧。"

我的天！

从大厦里出来，一身轻松，好爽！幸亏没有出丑，时间已经不早了，该找个地方祭祭"五脏庙"啦！

"卡呢？"我搜遍了全身，没有找到，再转回大厦找，仍然没有找到。我的头上开始冒汗，钱、身份证明、公交月租、信用值……可全在卡里边哪！妈的！这是谁发明的一卡通！没有公交月租，就坐不了车；没有钱，就没有东西吃，就不能打电话；没有信用值，就没有人肯借钱给你；没有身份证明，警察就会抓你……我的头上开始冒汗，现在离家有多远，家在哪个方向我都不知道……这可怎么办？

"天哪！有没有人可怜可怜我呀……"在饿了一天又露宿了一晚上之后，我只好出此下策。我实在没有办法了，当人在饿肚子时，是什么都能干得出来的！

"当啷！"又等了两顿饭的时间，终于有人在我面前施舍了一块……高能电池！"妈的！我是吃面包火腿的人！白痴！"我快发疯了！

从眼前这个人的个头和体型来看，搞定他应该不成问题。

我握紧了手中的木棍，躲在拐角处。我自打出娘胎就没干过任何作奸犯科的事，这会儿，我的手心里禁不住有些出汗。可为了回家，为了面包，我顾不了那么多了！

当那人走过拐角时，我挥起了木棍！

咔嚓一声，木棍都打断了，我下手也太狠了点儿。

那人摇晃了一下，最后竟转过身来："先生，有事吗？"

我的天，怎么又是个机器人！

"哦！是我把你的棍子撞断了吗？对不起啊！我给你接上……"他关切地说。

"你……你慢慢接吧！"我已经有气无力了。

随着一阵警笛声鸣起，一辆警车仿佛从天而降，落在我的眼前，一个机器警察从车上下来，向我走了过来："你有故意伤害机器人的嫌疑，请你跟我走一趟！"

"我……我需要一点食物！"我已经饿得懒得辩解了，我只想吃一点东西。

"也许我能给你一点润滑油。"

天！又是润滑油！我几乎瘫在地上。

"你是叫亚历克斯吗？"

"是……是呀！"我终于看到了一线希望！

"有一个女人曾到警察局找过你。跟我走吧。"

终于回到家了！家的感觉就是好，温暖舒适！老婆安排我坐在沙发上，到厨房给我做吃的。

"我没经你同意，已经把咱们的孩子领回来了。他叫小亚历克斯。你看，他多可爱！小亚历克斯！快出来见见你爸爸！"老婆的声音和饭菜的香味一起从厨房里飘了出来。

一个小家伙从里屋蹒跚着走了出来。

"噢！好可爱的小家伙！"我大声说，为了老婆的好心情，为了美味的饭菜。

"来，快来让爸爸抱抱！哎！哎！

别，别……快把爸爸放下来，快……"

"小亚历克斯，不许淘气，快把爸爸放下来！"

多么快乐的一个家庭！

## 牵手阅读

对于这篇科幻小说所描述的"机器时代"，或许每个人都会有自己的看法，不过可以肯定的是，故事的主人公兼叙述者"我"一定不怎么喜欢它。故事场景显然设置在未来的某个时间，但作者自始至终都没有提到任何与时间相关的信息，而是让读者自己在阅读中进行信息"解码"。这么一来，我们对于故事的背景也就有了更开阔的想象的空间。小说中所描写的这个"机器时代"看上去整洁、有序而又彬彬有礼，但对于一个真实的人来说，这种机器式的秩序恰恰构成了人类生存的某种困境。小说在戛然而止的夸张和反讽中结束，引人遐思。

# 小说里的幽默

没有人不喜欢幽默的文字，因为它常常使我们在笑声中体验到一种精神的愉悦和自由。但幽默带给我们的并不只有欢笑。爱尔兰作家萧伯纳说过，幽默是用轻松的语言，说出最深刻的道理。正是这种"轻松"中所蕴涵的"深刻的道理"，使幽默的微笑变得丰富和意味深长。

秦文君① 著

# 冒险的代价

　　十个男生有九个半想当英雄，可世上又不能有那么多英雄，所以就得各显神通。人不可貌相。谁说我就不会有一段刀剑生涯？

——摘自贾里的日记

　　在贾里他们中学，高中部的男生是最引人注目的，他们几乎都是人高马大，衣着入时，能说会道。他们有时故意到初中部走一趟，引起低年级学生的一阵肃静。而在初中部，初一的学生又是最受轻视的，被叫做"六一娃"，仿佛他们和那些穿着开裆裤、吵着要糖的小家伙没什么区别。贾里对这种地位不平等的现象极为不满，倒是贾梅她们无所谓，别人说她们小，她们就越发奶声奶气起来。

　　初一男生想在校园内一举成名是件多么困难的事情，知名人

---

①秦文君，女，生于1954年，儿童文学作家，曾获国际安徒生奖提名奖。

士需要显示出某个特征来，但贾里没有任何特征，若脸上长个大疤倒也能醒目几分。后来贾里发现，较优秀的成为大家偶像的男生几乎都集中在篮球队，所以一看到海报说篮球队招考新队员，他立刻就热血沸腾了。

入队考核实在简单，但出乎贾里意料，考核不考弹跳，也不考反应能力，考官一脚把球踢得很远，让贾里去捡，又拿出一大堆杂物叫贾里抱着走几步，然后拍拍他的肩，说："祝贺你。"

贾里进校队的消息不胫而走，妹妹贾梅更是热心的消息传播者。那些艺术团里用惯洗面奶的女孩子也知道了贾里，见了贾里就叫他"篮球新星"，有几个还唧唧喳喳地叫道："你该买糖请客！多荣幸啊，进了校队！"

"下次比赛我们给你当拉拉队！"

贾里很愿意大家奔走相告，能在艺术团那些女孩子中引起轰动让他很满意。鲁智胜也热情鼓励："我这体重是没法玩球了，你好好练，将来当国手。我嘛，当你的经纪人也行，当保镖也行！"

周六下午篮球队训练，贾里穿一身新运动服进场，不料当即被人挡在场外，说："今天捡球的人有了，你在场外看衣服。"

"什么！我是队员。"贾里报出名字。

"知道，你们是编外队员，专管捡球和看守正式队员的衣服。"

一个晴天霹雳！贾里没昏过去就算是坚强的，他当下就来个不辞而别——要我当这种零杂工吗？你另请高明吧！

但是，贾里的名声由此一落千丈，艺术团有些女孩子叫他"吹牛专业户"，贾梅为此红了几次眼圈儿。

贾里发誓要出名，要与众不同。等到初三，说不定就老了，关键是在眼前就要迅速地成为知名人士。

今年秋游，学校让初二和初二以上的学生全到苏州看古代园林建筑，唯独把初一安排在市区的长风公园。妈妈给贾里、贾梅装了许多好吃的，贾梅心满意足，而贾里却很窝火。搞什么！他又不是那种只会贪吃的娃娃，几块巧克力就能打发。小学时去公园秋游还马马虎虎，现在已经是别校徽的中学生了，居然还去公园秋游，实在太没劲了。他很愿意和鲁智胜一起混入去苏州的队伍里，哪怕饿一天也行，只要不死就没问题。

可鲁智胜得过且过，还做出很大度的样子："何必如此认真？放一天假玩玩，总比上课要开心！"

长风公园他们去过多次，很奇怪，人越大就觉得公园越小。那假山和个土包差不多，闭着眼就能爬到顶，剩下的就是划船。嗐，全是些穿得花花绿绿的小学生在划船，贾里也羞于同他们为伍。

他们坐在岸边，贾里一个劲儿地说没劲。鲁智胜很会体察朋友的心境，说："你觉得太平淡了，是吗？可是出名是需要冒险的！"

"我才不怕冒险！"

"吹牛！假如有人掉进河里，你敢救吗？"

"当然敢救！"

可惜，河面上风平浪静，没有任何险情，总不能掀翻一条小船来制造一个冒险机会吧？鲁智胜说："好啦，没办法检验。"

"真想检验也行。"

"怎么办？"鲁智胜蠢蠢欲动。

"你跳下水去，然后我来救你。这样，我们两个都出名了！"

鲁智胜说："那样我会变成个丑角。再说，我怕水，是个旱鸭子！"——是个旱鸭子其实更逼真，会游泳还要人救吗？

接着，他们两个就商量如何让两个人同时成为英雄。鲁智胜专出馊主意，说这儿是郊区，去找个坟堆转一转，然后回来对大家说遇上鬼了，那鬼穿萝卜裤，跳迪斯科。

"那不行，没人相信，说不定大家会说咱们迷信、老脑筋。"贾里摇摇头。

"去找条蛇来也行，拎着它到处走。"

"对，最好是条毒蛇，吐着红芯子，这样才惊险。"

"险是险，万一它咬伤人……"

"抓住它的七寸就行！"贾里说，"喂它只蛤蟆。"

"不行，女生会说我们残忍。"

这个瞻前顾后的家伙，假如面面俱到，那还叫什么冒险啊！真是彻底平庸！

他们正在想着机会，"机会"就向他们频频招手了。

不远处，传来一个女人的呼叫："停下！快停下！……喂，快抓住他！"他们两个一跃而起，踮着脚，伸长脖子，只见林荫道上，一个年轻妇女正气急败坏地叫着，一手指着前方，像要哭出来似的。她穿着高跟儿鞋，因此跑得歪歪扭扭的，步子像老太太的一样。在她前面十多步远的地方，有个青年在逃，手里拿着个女士提包，红颜色的。

"他抢她的包！"鲁智胜尖叫着，嗓音都变了。

贾里耳朵里轰的一声响，他陷入一种极度兴奋的状态，只在电视里见过那些勇斗歹徒的场面，没料到，机会那么偏爱他。他什么也顾不得了，说了声："上！"然后，他就像箭离弦一般呼啸而去，直奔那个男人，有点奋不顾身的气魄。

那"大盗"也怪，被贾里拦腰一把抱住后，倒不拔出匕首什么的利器，只是破口大骂："他妈的，你捣什么乱！再不松手我就揍你！"

这时，鲁智胜大喘着气赶到，一看肉搏战已经拉开大幕，就喊着"揍你这老贼"，抡起拳头就朝那"大盗"打去。没料想被人家握住拳头，然后被猛力推了一把，鲁智胜一个趔趄倒在地上，脸埋在那儿，鬼哭狼嚎起来。

那女人也赶到了，挺生气地对贾里说："你是哪个学校的？怎么这样蛮横？"

"你……你不是说……抓……抓他？"贾里急得语无伦次。

"搞什么！我们是一家人。儿子任性，发了脾气就跑！"那妇女说，"我叫他爸爸去追！"

贾里这才想起刚才是看见有个男孩一溜烟地跑过去，现在那个男孩已无影无踪了。

鲁智胜捂住脸说："都怪他为什么拿女人用的红包！我们以为那是他抢来的！"

"帮老婆提包不行吗？"那男人理直气壮，仿佛帮老婆提包那也是英雄业绩，"等你们大了，也会常常做这种差事的。"

夫妇俩急慌慌地奔走，找他们的小皇帝去了。贾里撇撇嘴，鄙视地说："什么男子汉，还挺沾沾自喜，仿佛无上光荣似的！"

成长的滋味

"不过，"鲁智胜说，"他的拳术不错，倒霉的还是我。"

贾里抬头望去，只见鲁智胜确实受了些轻伤，脸颊上擦破一块皮，没出什么血，只是现出几道血痕，像是磨过头的牛仔布上的斑纹。

"很疼吗？"贾里只会用一味药，"我去找些止痛药给你。"

"还可以忍受。"鲁智胜说着，抽了口凉气，表示他正经受着极大的煎熬。

"真倒霉！英雄没做成，倒差点成了狗熊。"贾里说，"不过，这是我们两个男子汉的秘密，你总不会甘于当笑料吧？"

"世界上这种傻瓜已经绝迹了。"鲁智胜有时候会显出精明本色，"你就是个徐文长，依你看，该怎么向大家解释这些伤痕？"

"对了！可以把那个男人说成是真正的大盗。搏斗中，你受轻伤倒下了，我却将他生擒。你看怎样？"

"好吧，就算我是二号英雄吧！"鲁智胜慷慨地说，"名利方面，我无所谓。"

"不行！"贾里说，"那个大盗呢？大家会问。怎么回答？"

"这是枝节问题，好混！"

但就是这个枝节问题，使他们好生烦恼，怎么也确定不了哪种说法好。鲁智胜一闲下来就生事，嚷嚷伤口痛得极凶，还一跳一跳的。卫生老师就坐在大草坪上，她带了一个药箱，但他们没去求她，主要是没想好怎么解释，而那个老太太又善于刨根问底。两个人躲躲藏藏的，出了公园门，四处找药店。

他们俩满街逛着，发现什么店都有，独缺药店，仿佛这一带的人都从不生病。路越走越偏，郊区味越发浓起来，远远还能看见菜地什么的。鲁智胜打退堂鼓了："算了，现在伤口不怎么痛了，回公园算了。"

正巧，路边就是一个公厕，鲁智胜说要方便一下，贾里就响应了。里面空无一人，两个人很放松，边蹲在那儿，边商量如何当英雄出名的事。

"喂，"鲁智胜说，"就说那大盗逃走了，那他们就没法追问了。"

"那不是放虎归山吗？太没水平。"贾里说，"英雄从不干这种事！"

"说送公安局了，行吗？"

"送哪个公安局？人家问下去，你怎么答？"贾里说，"说谎也要分高级和低级！"

"那……那我就白白牺牲了一次？"鲁智胜斤斤计较起来。

"不，今天总算也体验过一次英雄上阵的滋味……"

贾里话音未落，门开了，走进一个人，瘦瘦的，穿黑衣服。他一下子旋风似的走到他们跟前，用鬼魂一样低低的嗓音招呼道："喂，你们好！"那是个长得一般的人，笑得不怀好意，让人见了心里发颤。

两个小家伙一惊，本能地想站起来。说时迟，那时快，只见那人摸出把真正的匕首，扬了扬，急促地命令道："蹲下，别动！"寒光一闪，他们俩只能乖乖地蹲了下去。

那人弯下腰，捡东西似的麻利地取下鲁智胜的手表，还把两个人的口袋翻了一遍，值钱的就毫不客气地收去，那把匕首一直放肆地在他们眼前闪来闪去。一时间，他们这两个英雄都几乎没了思维能力，光感觉小腿不由自主地颤抖着。

"蹲十分钟！"那人凶狠地说，"否则就吃刀子！"

说完那句话，大盗就夺路而去。

"我……我们不是在做梦吧？"鲁智胜蹲在那儿，战战兢兢地说，"再蹲下去，我腿都麻了。"

贾里已跳起来束裤子，说："喂，追不追？那大盗逃了！"

"他有刀……"鲁智胜努力地站起来，"别弄出人命来！"

"不追我们太吃亏了！"贾里说，"这个坏蛋！"

在关键时刻，贾里倒忘了要做什么英雄了，仿佛那种念头都不曾产生过，他只是生气，感到受了极大的侮辱，那股劲儿就源自一种复仇的愿望，所以他就顾不上怕了，追了出去。那鲁智胜也算为朋友两肋插刀，虽然已被恐惧攫去了灵魂，可两条腿还是跟随好朋友冲了出去。

那个格斗的场面贾里后来也说不太清楚，也不够壮烈，反正他边喊"抓强盗"，边追。那大盗火了，顺手给了他一下子。不知怎的，他就挺不争气地倒下了，屁股下湿漉漉的，再使劲也爬不起来。倒是鲁智胜人胖中气足，扯着嗓子拼命叫喊，结果那块菜地里的农民赶了过来。

后来，来了两辆警车和一辆救护车，飞驰着把他们两个送到

医院。医生的检查结果出来了，说是贾里的臀部被刺了一匕首。这事倒也奇怪，贾里当时也没感觉疼，上了药反而大痛起来。医生让贾里住院，他不能躺，也不能坐，只能趴在病床上，心里恨那大盗太下流——怎么下刀在这种部位！

鲁智胜脸上那块血痕也被护士用大大的白纱布包上了，护士们问他情况，他毫不犹豫地把它说成是追大盗的时候在路上摔的，既然他编得合情合理，那就成全他吧！贾里也没有去拆穿他。后来，只有他们两个在场时，鲁智胜也把这伤口说成是一个光荣的纪念，而且言语中肯，毫不惭愧。大概是说得次数多了，他自己也相信这种说法是事实了。

总之，贾里和鲁智胜两个人一下子发迹起来，学校广播站把他们的名字提了一遍又一遍，戴大盖帽的公安人员还上门来记录事情的经过，还把被抢的东西还给他们。贾里在外科病房住了一周，几乎天天都有一帮子同学来探望。鲁智胜也每天必来，只要别人一提这事，他就眉飞色舞地把话抢过去。

"咳，当时我们就想着为民除害，就跟董存瑞也没什么大差别。不是吹，是英雄还是狗熊，关键时刻不就一目了然了？"

几个女同学敬佩地望着鲁智胜，仿佛住院的是这位老弟！这是否太过分了？

"我爸的单位还请我作报告呢！"鲁智胜更神气了，"是我爸去联系的。"

那老鲁当了个英雄的爸，都飘起来了。其实，他儿子这英雄质量一般。但贾里没什么发言权，他只能挺狼狈地趴在那儿。人家受伤，即使缠个胳膊或者贴个膏药，还能昂首挺胸，讲究个气概。但他可怜兮兮的，挺出丑，也不能向别人展示伤口。

只有贾里的爸爸理解他，悄悄地问他："你感受到什么？也想去作报告？"

"没有什么大意思。"贾里把脑门抵在枕头上，真心实意地说，"我不想让更多的人知道。"

爸爸说："这种感觉很不错！"然后，就给了儿子一个同志式的微笑，笑得贾里受宠若惊，一抬身，伤口猛痛。

贾里拆了线就开始上学了。校园里那股"英雄热"还没降温，贾里一露面，大家就奔走相告，用手点来点去。那帮艺术团的女台柱们见了他，目光里充满崇敬。贾里觉得滋味全变了，他倒情愿她们对他嘻嘻哈哈的，开句玩笑。因为现在她们的眼光已经把他划出了那个他熟悉的圈子。

鲁智胜那大块头余兴还很浓，脸颊上的纱布坚持不懈地贴在那儿招摇过市。一次，贾里火了，猛地把它揭了下来，说："结束吧！"

那几道血痕早已消失多日了，就等人来揭幕了。

## 牵手阅读

这则故事选自小说《男生贾里》。初一男生贾里一心想"出名"，想变得"与众不同"。为此，他和好朋友鲁智胜一起开始思考可以让他们成为英雄的各种冒险"壮举"。迫切地想成功的愿望使他们卷入了"抢劫钱包"事件，空英勇了一场。就在他们准备暂时偃旗息鼓，把"英雄"事件搁到一边时，却遭遇了真正的"抢劫"。作者很善于把握少年的心理，并发掘少年情感、生活中潜在的幽默元素，同时，也很善于调度故事。轻松幽默的叙述基调配合转折起伏的悬念安排，仿佛一下子就把我们带到了故事的结尾。然而，当贾里最后如愿成为"英雄"时，他的反应却出乎我们的意料。"'没有什么大意思。'贾里把脑门抵在枕头上，真心实意地说，'我不想让更多的人知道。'"我们看到，贾里的"冒险"不仅仅是一次少年的冲动游戏，它也让贾里对"英雄"、对"成长"有了更加成熟的认识。小说中的鲁智胜是

作家有意设计的一个喜剧角色，在贾里的故事中，鲁智胜主要承担着"捧哏"的任务，但他的既精明又憨实的言行，也是小说幽默感的主要来源之一。

李建树[1] 著

# 淑女乔玫红
# 的故事

　　90年代的少女乔玫红最欣赏的就是"潇洒"二字。她13岁就开始穿牛仔裤、运动鞋，会打响指，会唱歌，头发削得比毛阿敏的都短，翻学校墙头的动作比成龙还利落。14岁那年暑假，她跟一帮毛头小子去普陀旅游，在朱家尖的沙滩上敢穿着泳装与男生照合影。她爱笑，笑声响亮，咯咯咯咯的，最厉害的一次是将隔壁教室的语文课都给搅乱了。她没有丝毫的等级、门第观念，教授家的名媛淑女照样与个体户子弟打得火热。

　　确实，乔玫红的父母乔斯年和商未央都是名牌大学的教授，而且都是正教授，不是副教授。他们都出身于高知家庭，没有任何政治背景，完全是凭着自己的努力，以书为梯，登上如今的人生高度的。他们戴着眼镜，举止文明，时刻感受着自己的优越、充实与满足。唯一使他们感到不安的，是他们有一天突然发现自己的女儿长大了，而且居然长成了这么一副德行。尤其是在一次

---

①李建树，生于1940年，儿童文学作家。

女儿因为一点鸡毛蒜皮与安徽小保姆痛快地对骂了一阵"你才是小戆大"之后，乔斯年感到完全有必要对乔玫红作一番"修理"了。记得那一次谈话的最后两句是这样的——

乔斯年："照理，我和你妈都是知识分子，怎么会养出你这么个女张飞来呢？莫非是负负得正之故？"

乔玫红："唉，老爸！您这就有点耗子啃皮球——嗑(客)气了。应该是正正得负才是，对不对？"

女儿的这句话说得乔斯年和商未央都笑了起来。笑过之后，夫妇俩越想越觉得味道不对，就如正正得负不合数学规律一样，女儿的这种状态也实在离他们心目中的窈窕淑女形象相差太远。真的，他们是一心想把玫红培养成一位淑女的，就像张爱玲小说中所写到的那些女子一样：系一条飘逸曳地的白丝巾，会弹钢琴，会画油画，会坐在秋千上默默地想心事……

电视荧屏上的靳羽西正卷着舌尖用国语在告诫人们：

"女轮(人)，我认为女——轮(人)最重要的不是外貌，而是通过包装和举止表达出来的，一种，风范……"

对呀，女人就应该有女人的样子！乔斯年和商未央将靳羽西的那句话咀嚼了一遍，顿觉醍醐灌顶。于是，他们暂时放下了案头工作，开始协力为乔玫红制订了一个计划，一个培养淑女的计划。这计划共分7章18节，内容有："坐有坐相"、"吃有吃相"、"站有站相"，以及一切有关说、笑、行、止的种种规范和要求。乔玫红平时有一句口头禅叫"去他老哥儿的"：作业写不出，"去他老哥儿的"；钢笔不出水，"去他老哥儿的"……经她父母分析，此话起码有五六种语病，极度不雅，是断断不宜出于淑女之口的，当然就被严令禁止"出口"了。自此之后，乔玫红在家"夹着尾巴做人"，确实有了些"逐渐优雅起来了"的感觉，至于她出家门后如何操作，则又另当别论。

总之，乔斯年夫妇初尝甜头，干劲倍增，后来，他们又感到光在家里培训的力度还不够，所以又花钱为乔玫红申请了一个参加"周日礼仪小姐培训班"的名额。培训班借本市一所小学的礼堂上课，集中了一大批急于想当"小姐"的老姑娘、大姑娘。比起她们来，乔玫红就像一只羽毛未丰的小麻雀，扑棱着翅膀，可怜巴巴地排在队伍末尾，在一位退休舞蹈教师的带领下练习"转身"。你知道转身有多重要吗？据老师概括，转身对一位淑女来说至少具有三性：精美性、成熟性、艺术性。比如，如果背后有人冷不丁地叫你"喂，乔小姐"，你肯定得转身看个究竟吧？于是，就像很多书里写的，你骨碌碌地一下"车转身"来，或者像猴儿那样往后一蹦，或者……行了，淑女风范顿失！真正的淑女应该先以四分之三的标准姿势站定(即身体以45度角斜对前方)，然后将重心移至后脚，用前脚进一步，再用后脚进一步，将重心置于两脚的脚尖部分，再轻盈地向后那么一转。乔玫红与她的"同学们"正是这样站成一排在老师的带领下进行着反复的练习，走完一步，"嚯——"哨声一响，转身，再来过。

一个月过去了，乔玫红苦不堪言，但乔斯年和商未央却面有得意之色。这天，玫红放学后刚到家，她爸便让她看一封从"海外"寄来的信。信是由商未央的姐姐即乔玫红的姨娘从香港寄来的，淑女化的蓝色字细细地写在薄薄的粉色纸上，闻上去有一股檀香皂的味道。

姨娘在信中报告，她即将来本市主持一所家政礼仪学校。

乔玫红的那位姨娘很有点靳羽西的味道，名气不及人家的大，架子却比人家的足。现在内地人生活水平提高了，一些城市也有点蠢蠢欲动起来，频频邀请港台歌星亮相还不够，居然还想到要办什么"家政礼仪学校"了。想起大街上那些大姑大嫂们拖着孩子骑着车子跌跌撞撞疲于奔命的样子，乔玫红不禁咧嘴笑了。

老爸严肃地敲敲玻璃台板："有什么好笑的？当心姨娘再说你没教养！"

坐得笔直的母亲也紧跟着用眼光朝女儿恨铁不成钢般地一扫，直扫得乔玫红入地无门。

那是去年的事了。那一次，姨娘来内地推销化妆品，在电视台作秀(show)，表演"三分钟化妆法"，老爸老妈曾设家宴为她接风。乔玫红知道，这一顿饭一定不怎么好吃。果然，光有关"吃相"的教育就先足足讲了一个礼拜。乔玫红大致归纳了一下，才知道，要想像个淑女那样吃好一顿饭起码需要做到：一、长幼有序，入座、下箸都必须注意长辈在前，晚辈在后；二、挺直纤腰，据说，挺直腰身是姿态优雅的基础，因此坐下时身体必须紧靠椅子，椅子的位置又必须与桌沿有一最佳距离，以便保证挺直腰身，"以食就口"，反之，若弯腰曲背，"以口就食"，那就完全有失风度了；三、筷子握得太高像大饼油条店的师傅捞油条，太低又像修表老师傅用镊子夹零件，所以必须握在黄金分割点上(即离小头0.618处)；四、再好吃的菜也不能连续三次下箸，切忌馋相毕露，一副小家子气；五、喝汤无声，不能学小猪崽那样呼噜呼噜，要像喝药那样细水长流。

由于紧张，那一顿饭直吃得乔玫红汗流浃背。为了乔氏家族的荣誉，她坚持着，并决心坚持到最后。好，终于上汤了。那汤是用沙锅煲的，火腿炖梅林鸡，异香扑鼻，但表面一层浮油，半点气不冒，好像处于70摄氏度的状态。乔玫红伸兰花指举勺轻舀，姿势优雅得令人感动。对面的姨娘立即夸了一句什么英文，老妈的目光也似有赞许之意，于是她便得意地一仰脖……"啊，烫死我了！"乔玫红忍不住大叫一声，口中的热汤竟顺势直喷姨娘的礼服。躲避不及的姨娘恼羞成怒："没教养的！"事过之后，乔玫红早忘了，没想到老爸老妈却还如此耿耿于怀，也不知是跟姨娘较的什么劲!

　　当然，现在的乔玫红绝不至于再出这样的洋相了。经过父母半年调教和礼仪班的一个月强化训练，淑女乔玫红都完全有资格去接待一个外国代表团了，何况区区一位家政礼仪学校的校长——如果不发生那一场意外的话。

　　但话又要说回来了，生存竞争的故事时刻都在我们身边发生着，一个人几乎从上什么样的幼儿园、小学、中学以及能摊上什么样的老师开始就要想尽一切办法去跟人竞争了，何况乔玫红现在正面临初中毕业! 偏偏今年市重点中学还新挂出一块牌子，叫"××市外国语学校"，聘请外国老师教课，学生全部住读，条件好得不能再好，所以这个学校就享受优先招生的特权，在全市统考前，先由各校推荐考生，这些考生在经过几场特殊的考试后才能再择优录取。大家知道，现在社会上一切带"外"字头的单位都特别吃香，而进外国语学校又显然是将来能涉"外"的重要一步，所以其竞争的激烈程度也就可想而知。本来，分数面前人人平等，是好是坏以考分为标准就可以判定啦，谁知要先来个"推荐"，这就有文章可做了。比如，乔玫红那个班，只有一个名额，那么究竟是谁能夺得这一个名额呢？

成长的滋味

　　乔玫红!

　　张瑞英!

　　不错，这两人在班级里都是顶尖儿的尖子，品学兼优的，都有资格获得推荐，但现在的问题是只有一个名额呀! 有乔没有张，有张没有乔，你死我活的，矛盾够尖锐了吧？

　　经过淑女强化训练的乔玫红就这样被卷进了旋涡中。平日风平浪静的校园一下子热闹起来了，办公室里电话响个不停，各色人等进进出出。现在办什么事都讲究"通路子"，那么"推荐"的事当然也不能例外。

"喂，乔玫红，快来看，又来了！"

说话的是乔玫红的同桌，一个虎头虎脑的男生——顾国兴。虽然顾国兴的爹是个干个体水产的个体户，但乔玫红却仍与顾国兴处得很热乎，两人无话不谈，无事不帮。此刻，他正站在四楼教室的窗户边上，看二楼走廊上一个衣着入时的女人往教师办公室走。

"哼！"乔玫红一边鼻孔里喷气，一边竖起拇指和食指做举枪射击状，"戴老师办公室的门槛都快被她踩烂了。"

"你爸呢？你妈呢？"顾国兴的学习成绩不好，所以就能替乔玫红鸣不平，而且还不怕拉人家的父母下水。

"哼！他们哪……"

不说犹可，一说满肚子的火。

俗话说，知父（母）莫若女。自己爸妈是什么态度她最清楚，虽然明知无用，她还是硬起头皮向他们述说过事情的利害关系，请求他们的帮助。(乔玫红知道，校长是爸爸的小学同学。)但结果如何呢？听女儿说完，乔斯年和商未央的脸上立即有了异样的表情，大约仅仅是因为怕太伤女儿的心吧，所以没有断然拒绝，只是问了些不着边际的问题。

"我想了解一下基本情况，"乔斯年沉吟道，"你中考的成绩，在班上名列第几？比那个张瑞英高还是低？"

"高7分。"

"外语单项呢？这应该是很重要的，是不是？"

"也比她高。好像是3．5分吧！"

"这不就齐了。"商未央立即接过话茬儿，"硬件你样样符合，如果推荐不上，那就除非你在操行上有不如人家的地方。你认为你的表现会有什么……问题吗？"

乔玫红差一点想站起来提出"严正抗议"，但她努力忍着，她想以自己的行动来获得证明。

因此，与父母"交涉"的结果，只能更增强了她想获得"推荐"的决心。

"关键是得知道他们在搞些什么名堂。"乔玫红跟顾国兴说。

"这好办。"顾国兴大包大揽，"放学后你跟着我。不入虎穴，焉得虎子？我们来个跟踪追击，谁也别想逃出我的手心！"

"OK！"乔玫红拍了一下顾国兴的肩膀。

放晚学后一刻钟，果然有一辆红色桑塔纳轿车徐徐弯进了学校大门。喇叭轻响三声后，张瑞英的母亲首先下了楼，然后是气宇轩昂的戴老师提着公文包(里面都是些破课本、烂教案之类的东西)去拉轿车的门，那神态俨然是个"大款"。

"有戏！"顾国兴抑制不住兴奋。

"哼！"淑女乔玫红又一次拿鼻孔喷气，"去干啥？他们会去干啥？"

"肯定是去泰华大酒店吃露天烧烤。"

"我们跟踪吗？"

"当然。"

乔玫红皱了皱眉。泰华大酒店在风光如画的镜湖边，离市区十公里，骑车得一小时。

乔斯年夫妇等女儿等到晚上九点，实在等不下去了，便草草扒了几口饭菜，肚子里的气比吃进去的食物还多。经过半年突击调教的女儿已经是一个非常优雅听话、自觉守时的少女了(他们认为)，但今天是怎么了呢？难道会出什么意外？在环境幽静、充满书香之气的高等学府里泡久了，一想到女儿出事他们就心如刀绞。门铃正是在他们最为焦躁的那一刻突然响起。素有修养的商未央第一次光脚从卫生间冲出，扑向大门。

乔玫红那健康、美丽、青春的脸蛋布满红光，然而她未等大人发问，进屋就将门一推便躲进了自己的卧室。

商未央气得发抖："请问你们几点钟放学？"

乔玫红针锋相对："请问你们知不知道女儿的命运正在任人摆布？"

乔斯年听出女儿话中有话，就努力将火气压了压，说："玫红，怎么能这样跟妈妈说话？关于前程问题，咱们以后再慢慢探讨。我现在关心的是：你放学以后干什么去了！"

"无可奉告。"

"咳，外交辞令都上来了。"乔斯年尽量压低声音，"据我调查所知，你放学以后是跟一个男孩子骑车去东郊了……"

商未央气急败坏："那个男孩叫什么？是学生，还是社会青年？说呀！"

乔玫红知道是父母亲将事情搞拧了，但那时她却为这个不合时宜的误会悲伤得几乎想跳楼。她苍白着脸，索性咬住嘴唇，半个字也不说了，只是在心底一遍遍地呼喊着："我一定要获得推荐！只要我成功了，就什么都好解释了。"

　　一切就如顾国兴所预计的，那一晚，他们如愿以偿。在皎洁的月光下，在春风沉醉的镜湖边，他们看到了戴老师，也看到了张瑞英的父母。另外的几位陪客，从服饰和举止来判断，也是相当一级的教育界的头头脑脑吧。炉火融融，烤鱼、烤肉所发出的吱吱声和浓香味直扑他们的面颊，躲在银杏树下的乔玫红看着举起酒杯频频祝酒的戴老师，心像被醋浸透了。

　　但看到了又如何呢？初出茅庐的中学生，其全部智慧也仅限于给戴老师写了这么一张纸条(用的是顾国兴的左笔"书法")：

尊敬的戴先生阁下：

　　昨晚的湖畔烧烤滋味咋样？齿峡(颊)间一定还留有余香吧？告诉你，你的一举一动全部都在我们的视野之内，这次如果你不把我班最为杰出的乔玫红推荐出去而换成张瑞英的话，我们就到校长那里去告发，让你的面子全丢光！

　　　　　　　　　　　　　　无所不在的少年考察团
　　　　　　　　　　　　　　　　×月×日

　　纸条送出以后他们就等着看戴老师或大惊失色、或请病假、或觍颜于人世的种种效果，但实际情形却令他们大失所望，戴老师仍那么气宇轩昂，谈笑风生。"莫非他还没读到那张纸条？"有一次，乔玫红对顾国兴轻轻嘀咕。话是在课堂上说的，那一刻，戴老师正在讲台上激烈抨击当前社会上的种种不正之风和腐败现象，眼神低落处正好瞧见乔顾两学生的脑袋凑在一起直抵桌面，于是就手抛出一只粉笔头做"棒打鸳鸯散"状，然后不客气地敲敲桌子："喂！上课搞什么小动作，啊？别忘了，你们的一举一动也在我的视野之内。小心点好了！"

这回是乔玫红和顾国兴"大惊失色"了。什么意思啊？小心点？谁小心点？

实际上，令乔玫红吃惊的事还远不止这些。她觉得原来熟悉的教室、学校、同学一下子都变得陌生了，变形了，似乎有那么多人都在等着看她的笑话。当然，变化最大的自然要数她的假想敌张瑞英了。你看，张瑞英这人本来就沉默寡言的，这回好像变得更加行踪诡秘、神出鬼没了。她是学习委员，发本子、分试卷时往往会将自己的那一份随意地掉在地上。人家捡起来，喊一声："哇，张瑞英，好厉害！98！你干脆考100分得了！"那时，她又会马上扑过去抢，然后坐到位子上嘟囔："烦人。（神经）有毛病的。"乔玫红偶然与她相遇，她会冷不丁地剜你一眼，那眼光，极白，极尖利，能扎到你心里去。有时，乔玫红又会很清晰地听到她在背后啐口水："呸！呸！呸！"那味道像是吃饭吃到了苍蝇。乔玫红有时忍不住，照标准的淑女姿势"转身"去看，动作自然慢了一拍，张瑞英或者弯腰系鞋带，或者已经摆好了微笑的姿态，问："玫红，你作业写好啦？"张瑞英本来就上唇长，下唇短，嘴巴有点尖，现在看着就更瘦更尖了，嘴简直成了鸟喙状，且发紫发乌。乔玫红有时想想，父母苦心孤诣地调教还真有点道理，人一旦失了风范，美女也会变丑，但话又得说回来了，正像礼仪老师所说的，养成淑女风范的前提是气定神闲，张瑞英的爸妈既然将她绑上了战车，那就谈不上其他了。

当然，乔玫红忽略了很重要的一点，那就是，她没有问一声自己："我呢？"她认为她是客观公正的，有一件事情就可以完全证明："跟踪"策略失效以后，顾国兴曾又设计了一个方案，办法是由他向老爹要一大笔钱，然后放在书包里（微微外露），书包又故意忘在张瑞英每天必去面壁背英语的墙角里，引张瑞英上钩，然后……破案，身败名裂。那一天，顾国兴说得唾沫横飞、信心百倍，乔玫红却第一次发现他的冲天鼻和喇叭嘴奇丑无比。她忽然冷静下来，认真地告诉顾国兴："一切都到此为止，顺其自然吧。"

犹如日月经天有其固定的轨道一样，世间的万事万物也在按正常的轨道运行着。推荐名单终于公布了！虽然乔玫红有点思想准备，但当在大红榜上真的找到自己的名字时，她还是有点不敢相信。那一刻的心情，与其说是高兴，还不如说是苦涩，尤其是在听说张瑞英因风湿性心脏病复发而住院的消息之后。张瑞英的心脏不好，本应早就休学休息的，但她爸妈考虑再坚持两个月就可参加毕业考了，所以疏通了各方关系才得以保留学籍，谁知……自此而往后回想自己对人家的种种猜度，竟全是"疑邻盗斧"，乔玫红不禁深深自责。

放学了。乔玫红骑车回家，路上与一位同样伶牙俐齿的女  孩发生了碰撞。那女孩酥胸红唇，似是广告公司的公关小姐。乔玫红道完歉，推车想走，谁知她却一把抓住乔玫红的车把，非让乔玫红赔偿她因惊吓而致的精神损失不可。乔玫红又正好未带钱包，于是两人就吵了起来。这一吵就把乔玫红压抑了半年多的情绪通通吵了出来。奇怪，以前的那一套竟半点没忘，乔玫红又找到半年前的自己了。两人由对骂发展到厮打，围观的人里三层外三层，直闹到交警出面才算平息。乔玫红捋捋头发，扯扯衣服，书包却又遍地找不着；自行车的龙头歪了，一骑差一点摔个大马趴。这一切都犹如火上浇油，乔玫红的心情糟得像罩上了巫婆抛过来的黑披风。

到家。三室一厅的房里居然一个人都没有。(小保姆自那次吵架后就辞工不干了。)她只见桌上留着一张纸条：

玫女：

　　我们去机场接姨娘了，你回家后先帮着淘米洗菜，再插上电饭锅，然后把自己也稍稍梳洗打扮一番。注意记着淑女风范，别让姨娘挑毛病说闲话。

　　　　　　　　　　　　　　　　　　　爸妈

　　　　　　　　　　　　　　　　　　　×月×日

下面还有一句：

　　又：此条阅后即撕毁，切切。

　　哼，挑毛病，挑你个头啊！我今天倒偏要来点不是淑女的"风范"让你们瞧瞧！这么想着，她又突然兴奋起来，噼里啪啦四处找旧鞋破鞋，将它们通通扔在走廊里，一会儿就有了一大堆。然后，她坐在地板上，想象着一会儿门开时，这一堆破鞋一只只朝身板笔直的姨娘飞去时的情景，激动得咯咯大笑起来。

## 牵手阅读

　　小说的主角乔玫红是一个潇洒、新潮、带点假小子味儿的女生。为此，她的父母决定在她身上实施"淑女培养计划"。这一冲突构成了小说的基本线索，也为即将发生的诸多幽默的事件做好了铺垫。故事的场景主要在家庭和学校间转换，范围十分有限，但作者娴熟地把握住了围绕着乔玫红发生的诸多矛盾，将亲子矛盾与师生矛盾、校园竞争与家族竞争等话题十分自然地融合在一起。作品中既有属于少年的快乐与烦恼，也在一定程度上涉及了社会、人性等话题。整个故事虽以喜剧的基调贯穿始终，话题却不失严肃。作者最后让乔玫红做回了原来的自己。在故事末尾，乔玫红搜集起来的那一大堆破鞋，尽管也让我们忍不住为她的命运捏一把汗，但我想，每一位读者都会由衷地为她感到高兴。

汤保华① 著

# 红眼牧师鸟

成长的滋味

　　穆校长没有绰号，这可不容易！你只要想想他周围都是些什么人就明白了。十几岁的少年，几乎人人都是起绰号的小天才。只要定下个他们一致同意的绰号，他们哪，那才"转"(zhuǎi)得很哩！对了，张老师的绰号就叫"得很"。有一天，张老师到菜场买菜，碰到初二(一)班三个学生。"张老师好！"毕恭毕敬。唉，当个嚼牙巴骨、吃粉笔灰的人，听到孩子们这样叫你一声，什么低工资也罢，没房住也罢，都算是可以勉强忽略过去了。可是才错开几步，张老师觉得自己的耳朵出了毛病，他好像听到这么一句："嘻嘻！'得很'也买菜，家庭妇男！"不，不是好像，是清清楚楚听见了，就是这么一句，他们还叽叽咕咕地笑！总之，这句话磨了张老师一个菜场。"买菜"，还"妇男"！这不是讲他还能讲谁！可是，"得很"是啥意思？是不是真的听走了？不，没听走，就是"得很"二字！

---

①汤保华，生于1949年，当代作家。

第二天一进办公室，张老师就讲起这事来。

"我都弄糊涂了！"他摊开手，"奇怪得很！奇怪得很！"

这一下，几位老师哈哈大笑。

"这有啥奇怪的！"李老师好不容易才止住笑，"'得很'！'得很'！谁叫你动不动就说'得很'！"

张老师嘴也张圆了，眼也睁圆了："噢，噢噢！我的娘，原来是这么回事！这才是妙得很哩！"

你瞧瞧，连"得很"这样的虚词都能派上用场，更何况"阿狗"、"阿猫"之类的可以指物名状的实词！李老师矮而胖，得了个"墩子"；巩老师瘦而高，自然是"竹竿"；冷老师行站都习惯背着一只手，得了个"独臂将军"，因为正面观只见一臂；邱老师眉间有一颗红痣，连他自己都以为跑不掉什么"三只眼"之类，没想到得的是"十环"！听听，多么惊人的想象力！还有更古怪的呢！老实巴交的食堂老王师傅竟然当了"国王"，大概是因为"民以食为天"吧。肖医生得的是"眼睛"，因为她一遍又一遍地告诫孩子们："要保护眼睛啊，要保护眼睛啊！"尽管她自己是个标准的近视眼！龙老师烟瘾一流，每件衣服都少不了七八个洞洞，可是他得的并不是"烟鬼"或"烟枪"，而是"满天星"！奚老师呢，皮鞋极脏这不假，但他从未踩到什么"泥凼（dàng）凼"啊！"也不知那些小家伙咋想的，"他百思不得其解，"硬把这'泥凼凼'栽给了我！"

不消说，最形象化的还是动物。"大象"、"河马"、"长颈鹿"、"灰熊"、"驼鸟"、"老青猴"、"画眉"、"喜鹊"、"啄木鸟"……指物名状，起得你心服口服。周老师是"老鼠"，林老师叫"耗子"，这显得有点词义重复，可是学生们绝不会弄混，"老鼠"就是"老鼠"，"耗子"就是"耗子"。身高体胖秉性极温厚的魏老师得了个"AA鸡"的美称，因为这种西洋鸡非常老实，就算去捉它，它都不会蹦。对此美称，魏老师笑眯了眼，确实像那么回事！只有孔老师对自己的绰号很不服气。"你们看冤不冤！"他撇撇嘴，"我教他们跑步，跑了个全市第二名。嘿，这倒好，他们反过来叫我'赛虎'，'赛虎'！'赛虎'！再怎么听也是一条撵山狗嘛！"

"这些鬼家伙，"张老师啧啧连声，"安起绰号来疯狂得很哪！"

当然，没有哪位教师会真正动气，谁不是打小这么过来的！何况，当着你的面，他们绝不会说"耗子你好"或者"老鼠你好"。真的，探听到自己的绰号还挺不容易呢，你要么无意中听到，不然就得偷听才行。收获最大的当属"独臂将军"冷老师。上个月，他带班到林场劳动。那天黄昏，他在林子里随便走走，等着开饭。前面传来学生们的笑闹声，他就轻轻走了过去，当然，背着一条胳膊。他倒不是想存心偷听绰号，而是很想悄悄地瞧瞧孩子们的"无拘束状态下的欢乐"。在枝叶的掩护下，他看到了，林间草地上，男生女生都有，一个个喜眉喜眼的。嗬！不用谁领头，他们就齐齐地、长腔长调地起了声，既像诗又像歌：

成长的滋味

森林之夜满天星，
讲个童话你听听。
传来了消息要打仗，
躲的躲来藏的藏。
喜鹊画眉哑了嗓，
啄木鸟巴紧树桩桩。
长颈鹿撞到竹竿上，
墩子后头躲大象。
老青猴钻进耗子洞，

河马跌进了泥凼凼。

大灰熊奔东又奔西，

碰上了一只AA鸡。

老鼠支起小耳朵，

听见了动静打哆嗦。

呀呀呀！呀呀呀！

独臂将军出来啦！

你看他眼睛亮鼓鼓，

旁边还有只小赛虎。

"哇哈哈！哇哈哈！"

独臂将军乐开了花，

"我要陪你们玩一玩，

一枪一个准十环！"

突然响起了脚步声，

森林国王现了身：

"独臂将军你憨得很，

你把演习当了真！"

　　歌罢，女娃娃们笑得前仰后合，男娃娃们笑得满地打滚。冷老师要不是赶紧箍住嘴巴，保管要笑得三天缩不回嘴筋哩！他当时已知"满天星"、"墩子"、"AA鸡"和"国王"四个绰号，还不用怎么样去推理，只消看一眼学生们笑成那个样儿，就可以断定这《森林童话》中一定还隐含着许多无辜的教师。好家伙！可真编得出来呀！

　　总之，冷老师悄悄离开了夕阳下的这个青春舞台，他不忍心中断孩子们的欢乐。当然，他头一回放下了反背着的胳膊，蹑手蹑脚，弯胳膊弯腿，走得跟大猩猩一样。直到离开林场的前一夜，在篝火晚会上，他才打破沙锅问到底："说吧，说来我听听，都说出来，让我跟你们一块儿乐乐。"于是，他一镰刀就收割了这么多秘密！最让他自豪的是，他本人不是别人，正是那威风凛凛的"独臂将军"！这当然比什么"耗子"、"老鼠"的强得多喽！

好，现在我要说说穆校长了。你已经听过那首《森林童话》，肯定要诧异了。怎么独独穆校长没绰号？

"一棵树"中学初一到初三，拢共才十四个班。教职员工呢，不满员，忙得连轴转。铝矿场，你想想是个什么去处！一句话，四周八面不是天给的山，就是人造的山。可是，它应该有两所学校：一所子小和一所子中。工人们傻大黑粗，难道他们的后代也要一茬茬傻大黑粗下去吗？终于，学校成立了。可是，这样的学校谁愿来教书？荒天野地，山压不死人，矿石堆也压得死人哩！没办法，只好"就地取材"，把一些技术员、施工员、广播员改巴改巴就上了讲台，就好比和尚念了道士经。不过，穆校长是绝对专业的，从市里第三中学调过来当了掌门人。"校长"的头衔倒没变，但是咋看都像是遭了流放。不管流放不流放吧，反正"一棵树"中学的牌子挂起来了，而且居然还得了市教育局三次小小的奖励。得，不写总结了，还是回到绰号上来。

其实，穆校长从秉性上讲也相当地"AA鸡"，但他瘦，因此"AA鸡"只能落到别人头上。他瘦，但不高，"竹竿"也没份儿。其他动物呢？也不好办。你以为当个动物就那么容易吗？学生们可讲究呢！曾经一度，学生们给穆校长起了个"婆婆嘴"的绰号，不知啥原因没流传开来。当然，绝不是他们畏惧什么"校长大人"，何况他一点也不威严。推想只能有一个缘故——"婆婆嘴"太平凡，学生们觉得艺术性差了一大截，于是作废，以待另起。

总之，三年来，只有穆校长这一个堡垒没攻下来，为此学生

们十分不安，觉得愧对了这么一位好校长。教师们呢，自然也把这种空缺视为非正常现象。

"老穆，""大象"说，"让你一个人官姓官称孤零零的，我们都于心不忍哩！"

"是呀！"穆校长苦着脸，"我一直在等候他们的召唤哪！"

"奇怪得很！""得很"连连咂嘴，"小家伙们的想象力哪儿去了！连我都可以给你起上一串！"

"一串？说来听听！"穆校长兴趣十足。

"穆……穆……穆桂英！现成的！"

"不行不行，太牵强附会了！"

"穆铁柱！"

"更不行！"教师们齐声反对。

"穆……木头！"

"你是在骂人，还是咋的？"穆校长扑哧一声笑了，"你就离不开'mù'这个音吗？"

"还有的是！""得很"一本正经，"我就不信没一个扣得上的！比如……长毛兔！瞧你这头发！"

"长毛兔？"穆校长摸摸脑瓜，"嗯，好像有点扣题了。不过，我这一头毛不单长而乱，还白，光是'长'，不足以概括全貌。"

确实，长而乱，而且白了大半，五十六岁的校长更像是六十六岁的敲钟匠。

"白毛仙姑！""得很"嚷起来，不单嚷，还带头鼓掌，"找准了，找准了！白毛仙姑，叫起来上口得很！"

"有点味道，有点味道！"几位教师也呱唧鼓掌。

遗憾的是，上行而下不效。尽管教师们叮叮当当地叫了好几天"白毛仙姑"，学生们却不为所动。显然，《森林童话》的作者们不愿意降低艺术水准，可是这样一来，孩子们的不安又加重了几成。他们多想给校长找个独一无二的绰号啊！尤其是初三的学生们更是焦心，因为他们就要毕业了。于是，星期天，初三三个班的班干部在野马山槽开了一次秘密会议。"野马山槽"！光听听这四个字就够神秘的！这里离学校有四五里地，离场部有五六里，四周都是岩壁，底下是一槽蒿草，绝对隐秘，除非直升飞机飞来才看得到这里。

经过两个多钟头的讨论——当然免不了争得脸红筋涨——大家终于统一了认识。第一，不再考虑动物类，因为穆校长确实没什么有趣的鸟兽特征。第二，性格特征方面也不做文章了，他和"AA鸡"的性格太相近，勉强起一个肯定要雷同。那么，第三，从语言习惯上给穆校长来个致命一击。语言习惯，对，穆校长的语言习惯有戏！他最爱说一句话，虽然挺长，但有口头禅的特点。不论是大会小会，还是单独交谈，他总是要说："理想、道德、文化，同学哪，这才是最重要的！不要把钱放在第一位，金钱买不到精神哪！"嗯，这句话太长，挑出哪个词来当绰号呢？"重要"？或者，"精神"？

突然，野马山槽静了下来。这么静，这么静，连小草的呼吸都能听到！明白了，明白了，人人都明白了，难怪一直找不到穆校长的绰号！他……他……他的眼睛，太沉重了。不光眼睛沉重，他的腰也那么沉重。冰雹，那次冰雹来得多凶啊，白花花的，满坡满地就跟下满了鸽了蛋 样！那天也是星期天，只有儿位住校的老师在学校里。等同学们跑到学校时，雹子停了，小气象站保住了，百叶箱连一根木条都没砸坏。可是，可是，老师们一个个被砸得好惨哪！穆校长，就从那天起，他的腰就挺不直了，成了个罗锅腰。他本来就有腰疼病，他是全校最老的人啊！忍心在他的腰上做文章吗？忍心在他的眼睛上做文章吗？人人都

想哭。《森林童话》创作不下去了。

屋子小，就特别明亮。

一桌，一椅，一床，一灯，外加一个书架，足矣！单身汉意识，穆校长意识到这是自己近年来悄悄产生的单身汉意识。老伴病故后，他发现自己渐渐游进了一种相当特殊的心理世界。儿子大学毕业后留在了外省，女儿参军进了文工团，身边只有学生们了。当然，和教职员工们也都是朝夕相处的，但他们是成年人，他无权去爱抚成年人。唉，只要学生们鲜鲜灵灵，就足矣！

此刻，夜深人静，只有远方隐隐传来破石机的声音。他上了床，立起枕头，心满意足地抱起一本闲书。罗伦斯的《鸟类学》。他意识到，自己越来越喜欢动物，他还意识到，他多么希望孩子们把自己当个动物啊，兽也行，鸟也行，昆虫也行。

他看到了关于鸟儿唱歌的一章。

……鸟儿歌唱最频繁的时间是在清晨，通常唱至中午就会停止，不过，鹟科鸟会不停地唱到黄昏。在北美中部林区的各种鸣禽中，唱歌最不厌倦的，或者说唱得最令人厌倦的，是绿羽的眉莺。这种漂亮的红眼睛的小鸟有个有趣的别名：红眼牧师鸟。显然，它之所以得到这个别名是因为它的叫声非常单调，具有布道辞的主要特点。我曾经耐着性子做过记录，用录音机录下鸣声然后进行统计。非常惊人，一只雄性红眼牧师鸟从清晨至黄昏，同一个单音节的调子竟然反复唱了一万多次，平均每四秒钟就唱一次！这个纪录大概无法打破，即便是最尽职的牧师本人到来，也无法打破……

穆校长咯咯地笑出了声。他是校长，但每周兼十二节课，而且是语文。语言的幽默正如荒漠烈日下的冷饮，他比别的人更能品味。红眼牧师鸟，多么精彩的别名！突然，突然，他把书一拍，朗声大笑起来。他乐透了。

没有礼堂，毕业典礼就在空坝子上举行。铝矿场，穷学校，别的设施不行，空坝子有的是。当然，三个毕业班的学生加起来才百十号人，一间大教室还是塞得进去的，可是师生们都不愿塞进去，穆校长本人更不愿意。他有个秘密要在阳光下宣布，正如小鸟应该在阳光下飞翔一样。而且，为了这个秘密，他温和但坚定地拒绝了矿场领导。

"这是第一次毕业典礼，"他说，"具有特殊的意义。所以……所以……我们决定不邀请外人参加。"

"外人？"场长和书记大吃一惊，"我们是外人？"

"呃……呃……"穆校长难堪得要死，"请你们原谅我的……我的怪毛病。"

"怪毛病？"

"呃……呃……是这样的，是这样的，第一批毕业生，就好比……好比头一回起飞的小鸟。我们要，我说的是全校师生，要自己享受这头一次欢乐。"

场长和书记你瞧瞧我，我瞧瞧你，大惑不解。他们惑是惑，可没发火。发了火，校长大人拂袖而去，谁来撑这所学校！除非高薪聘请，除非洋楼恭候，矿场可没富到那种程度！何况，到哪里再去找这样一位好校长呢？

"呵呵，老穆啊，"场长苦笑了一下，"你这个毛病真够古怪的！好，听你的，照你的办，场里不来人了。要什么彩旗啊，鞭炮啊的，尽管提，场里包了！"

"只这一次，只这一次！"穆校长笑成个娃娃样，"从第二届毕业典礼起，我保证……保证……"

好了！这会儿，教职员工们在"主席台"上坐了一横排，全

体学生在"听众席"上坐了一坝，排列规整，意气昂昂。"一棵树"再穷，红旗也跟别的学校一样鲜亮，不，更加鲜亮，它衬着的不是高楼，而是蓝天、丽日。

"同学们！老师们！今天，我们举行第一届毕业典礼！"二十四年了，从城里的中学起，穆校长当了二十四回主持人，可是没有哪一回他是如此心花怒放，"高兴啊！太高兴啦！我们'一棵树'，飞起了第一批小鸟！同学们，孩子们，我请你们好好瞧瞧你们的班主任，好好瞧瞧你们的任课老师，瞧瞧肖医生，瞧瞧老王师傅，再瞧瞧我。你们发现了什么？我们老了，老了。三年，一千多个日日夜夜啊！嗯，好了，不讲大道理了，现在我要念一小节文章给你们听，是一位世界著名的鸟类学家写的。你们瞧，这么厚，跟砖头一样。"

当然，为了让孩子们明白他的心愿，他在念之前得讲一讲宗教，讲一讲基督教、天主教，还要将前者和佛教作一番比较。总之，得让三个年级的孩子们都明白什么是牧师，什么是布道。这一下，别说孩子们听得入了神，连教师们都听得津津有味。

"嘿！""长颈鹿"捅捅"灰熊"，"不愧是老教育工作者，说得多活！"

"当然！""灰熊"完全同意，"换个别的官来，不先打八十句官腔才怪！"

好，对宗教知识的讲解暂告一段落，穆校长捧起了《鸟类学》，清晰地，甚至是过分抑扬顿挫地读了那段文字。

"明白不？明白不？"他朝着所有的孩子挤眉弄眼，"听出味儿来没有？"

孩子们眼睛亮晶晶的，显然没听出味儿来。

"嘿！嘿嘿！"他笑出了声，"你们的想象力哪儿去了！绰号！绰号啊！"

孩子们的眼睛更亮了，仿佛都受了惊。

"鸟！鸟！我是一只小鸟嘛！"他张开双臂扇动起来，"红眼牧师鸟！红眼牧师鸟！你们瞧，我多像一只红眼牧师鸟啊！成天跟你们唠叨，理想、道德、文化，理想、道德、文化，金钱买不到精神，金钱买不到精神！同学们哪，金钱真的买不到一切呀！你们想想，钱可以买到鸟，还可以编个金笼子，可是钱买不到鸟儿的歌唱啊！要它愿意唱才会唱啊！同学们，同学们，我多希望有个绰号啊！他们都有，偏偏我没有！现在我替你们找到了！一只鸟，完全可以飞进你们的森林王国。你们听，多有意思！传来了消息要打仗，躲的躲来藏的藏。喜鹊画眉哑了嗓，啄木鸟巴紧树桩桩。还有一个怪东西，叫做红眼牧师鸟……怎么样，揉得进歌子吧？当然，怎样揉得更巧妙，得由你们自己安排。嘿！怎么都不表态？是不是觉得有点拗(ào)口？"

忽然，一个女孩子开始低声抽泣，紧接着，不，几乎是同时，初三学生都哭出了声，再接着，初一、初二的孩子们也都哭了起来。

太阳下一片呜咽声。

"怎么了？怎么了？"穆校长张大了眼睛，惶惑地瞧瞧左右两边的教师们。几位女教师也哭了。

穆校长给弄糊涂了，他是满心高兴地要当一只红眼牧师鸟啊！

唉，就写到这儿吧。

**牵手阅读**

　　"一棵树"中学的老师们似乎已经把学生给自己起的绰号当成了一种特殊的荣誉，以至于始终没有绰号的校长反倒替自己着急起来。这是这篇小说最令人眼前一亮的地方。或许，是这些绰号让老师们重新体验到了他们自己少年时代的那些快乐，又或许，绰号体现的是孩子们接纳老师们的一种独特的方式，无论出于什么原因，孩子们和老师们对于绰号的钟情的确让这篇小说拥有了一种轻快幽默的风格和情致。老校长为自己寻找绰号的过程，以及他在毕业典礼上像上语文课一样启发孩子们说出他为自己寻找到的那个绰号的场景，让我们微笑，也令我们感动。孩子们的泪水，是被可敬可爱的校长所感动的泪水，是忽然发现就要结束那么美好的一段时光，想把它折叠进心里时的不舍和依恋的泪水，也是为了即将到来的那声伤感的道别而流下的泪水。整篇小说的格调是明朗的，淳朴的，怀旧的，幽默的。读完它，仿佛有一片温暖轻轻落在我们的心里。

张之路[①] 著

# "砍协"秘书长

## 一

整整一个星期天的上午，刘贵贵都在写一份申请书。当然，不是入党申请书，刘贵贵今年才十四岁。也不是入团申请书，班上的三好学生、大小干部都还没敢写申请呢！哪轮得到他这个小组长都不是的萝卜头呢？

刘贵贵在眼前的白纸上端端正正地写着："我申请加入中国砍大山协会。"

写下这几个字很容易，关键是下面有一条，要求写上为什么要加入"砍协"及加入"砍协"的伟大意义。

刘贵贵冥思苦想了半天，好容易才写下这么几句："加入'砍协'可以锻炼自己的口才，增长知识，丰富课余文化生活，搞好和同学们的关系……"可刘贵贵觉得，这样写太空洞，太没

①张之路，生于1945年，儿童文学作家，曾获国际安徒生奖提名奖。

有水平，还没有将自己强烈要求加入"砍协"的心情写出来，而且，这样写太呆板，不幽默，有悖于"砍协"的宗旨，所以八成不会被批准……

趁着刘贵贵在继续构思的时候，我们向大家解释一下什么是"中国砍大山协会"。

随着历史的发展，社会的进步，人们在某一天突然发现，原有的一些字眼儿和词句已经不能充分表达自己的思想感情了。于是，一些稀奇古怪的词儿就应运而生了。没有人去考证它们的出处，也没有人去论证这些字眼儿和词句是否规范和科学，只是念着带劲，说着痛快，于是就约定俗成，这些字眼儿和词句不胫而走，迅速推广开来。

"砍大山"就是北京近两年来一句新兴的土语。它原本的意思是"聊天"、"闲谈"，像东北人说的"唠嗑"、四川人说的"摆龙门阵"等等，都是这个意思。可是，近两年，聊天却有了很大的发展、长足的进步。从内容到气氛，从形式到勇气，再加上海阔天空、胡说八道、吹牛皮不上税，"聊天"这个字眼儿已经不能担负起这样繁重而光荣的任务了，即便说"神聊"也不够味儿，于是通通归为一个"砍"字。为了念着形象，使之更有意境，人们就把这种常见的生活现象叫做"砍大山"。其中的"砍"字到底是"砍树"的"砍"，还是"侃侃而谈"的"侃"，这不重要，关键是人们有着需要更新的强烈愿望。即便没有"砍大山"这个词，人们也会发明一个新的词来代替"聊天"这个四平八稳的东西。

于是，从西德的小飞机在红场上降落到特异功能的意念杀人；从马拉多纳到女排邓若曾的辞职；从奥斯卡的小人头到中国的刘晓庆……凡是能引起人们兴趣，让人们愉快而激动地消磨时间的话题，形式不限，长短不拘，真实性不追究，都归在了"砍大山"的麾下。

最早喜欢"砍大山"的人似乎聚集在工厂，但最容易接受它而又将之热心地发扬光大的则是青年学生。

在北京一所不起眼儿的中学里，也藏龙卧虎般地出现了几个"砍"欲十足的半大小子，年龄都在十四五岁。为首的外号叫"瘦型猴"。小伙子脸上十分消瘦，除了负责说话和吃东西的咀嚼肌十分发达之外，剩下的似乎全是皮贴着骨头。

瘦型猴从不主动向别人"砍"，似乎意识到自己的地位很高，所以他态度十分矜持。可是，只要他在哪里一出现，热心的听众就会立刻围上来，犹如铁屑飞向磁石一般。大家非得百般请求，千呼万唤，他才开始"砍"起来，但只要一"砍"，就语惊四座。他面无表情，但头脑清晰，声音抑扬顿挫，说到可笑之处，神色越发严肃，语言却更加生动传神。

瘦型猴周围的几个伙伴也都不是平庸之辈，他们见多识广，知道许多奇闻逸事，不管是电视里看的，还是书上瞧的或是听别人说的，耳朵和眼睛零零碎碎地将这些资源收集起来，在肚子里消化、整理、加工、放大，然后再从嘴里滔滔不绝地"砍"出来。他们耳濡目染，与瘦型猴之间相互切磋，久而久之，便也能各领风采，独树一帜。

他们大约分为如下几类：一类便是瘦型猴这样的"库存"丰富，口才极好，又有独立见解，处于领导地位的；第二类便是不管听众是否感兴趣，说过六七遍的陈芝麻烂谷子还照"砍"不误的，但因为新鲜事毕竟是凤毛麟角，数量有限，所以他们处于骨干地位，代表人物是矮矮胖胖的"老鼻子"；第三类便是幽默感极强，但不能独立成篇，只能插科打诨，起着调节气氛作用的，这里值得一提的就是给瘦型猴和老鼻子起外号的"小哨儿"。

这群人里还有一类不入流的，便是前面提到的刘贵贵。他是忠实的听众。每当别人"砍"到一处，甚至是觉得毫无趣味而

停下来的时候，他便瞪着一双天真的大眼睛，虔诚地问："后来呢？后来呢？"于是，"砍"的人受到鼓舞，兴趣陡然增长，继续"砍"下去。可惜，人们还没有注意到刘贵贵这类人的作用。

有一天，话题不知怎么又绕到"出国"这个老题材上了。老鼻子突然眼睛一亮："嘿！你们知道出国的个别家伙怎么在国外丢人吗？他们为了省钱买冰箱，又不认识外国字，居然买狗食罐头来吃，特便宜！后来让服务员发现了。真他妈给中国人丢脸，丢人丢老鼻子啦！"

刘贵贵听了大惑不解："狗肉不是挺好吃的吗？"

"别冒傻气了！那是专门给狗做的罐头，人家外国狗特高级……"老鼻子冷笑着不屑地说。

小哨儿拍了拍老鼻子的胖脑袋，说："哟！你爸爸是美国人吧？"

"干什么？"老鼻子不乐意地将小哨儿推开。

"别老糟践咱们中国人好不好？外国人比中国人还抠门儿。我爸爸一个同事的亲戚在大使馆给外国人当一级厨师。有位大使离任前开招待会。各国的大使、参赞、武官都来了。你猜他给人家吃什么？把面包切成丁儿，油炸了，桌上就放这个，还告诉服务员等他讲完话再给客人倒酒，怕酒不够了。整个招待会，五十块钱都没用了，还大使呢！"小哨儿说完又加上一句，"绝对真实！"

整个气氛活跃极了，大伙儿你一套，我一套的，最后又轮到瘦型猴说话："中国有什么作家协会、电影协会的，咱们成立一个'中国砍大山协会'怎么样？"

"同意！由你当主席！"小哨儿跳上椅子。

"可以！老鼻子和小哨儿是书记！"接着，瘦型猴点了几个人的名字说，"你们都是第一批会员！"

大家哄笑着，喊叫着。谁也没料到，刘贵贵却难过到了极点，因为瘦型猴忘了点他的名字。

　　"我呢？"刘贵贵可怜巴巴地说。

　　瘦型猴这才发现了刘贵贵。他歪着脑袋沉思了一会儿，一本正经地说："实在对不起，'砍协'会员是要保证一定的质量的……"

　　刘贵贵都快哭出来了，他万万没想到，他这个与瘦型猴朝夕相处的朋友落了这么个下场，于是坐在那里半天没说话。

　　瘦型猴的心里都快笑出声了，可他仍极严肃地说："贵贵，别难过，你回去写一个申请，然后我们开会研究研究，关键要写上加入'砍协'的意义……"

　　刘贵贵看到了一线希望，于是一个星期天上午都在认真地写。他哪里知道，这是瘦型猴的恶作剧。

　　就在这时，刘贵贵的后脑勺被重重地拍了一下。他吓了一跳，一回头，爸爸正瞪着那双布满血丝的眼睛看着他。

成长的滋味

　　"写什么呢？"

　　"嗯……写……写申请书……"

　　"是入团申请书吗？"

　　"不是……"刘贵贵不敢撒谎。

　　"那写什么？让我看看！"

　　刘贵贵不得不把捂在纸上的手移开。

　　爸爸定睛一看，顿时变了脸色："什么他妈的胡说八道！去！给我买酒去！"

　　刘贵贵知道，自从爸爸和妈妈吵了一架之后，爸爸就一直不停地喝酒。从每天吃饭的时候喝，发展到每天早晨起来也要喝一盅。从每天喝一两变成每天要喝到半斤。酒也不是什么好酒。爸爸的床底下堆满了二锅头的空瓶子。

　　有时候，刘贵贵得了一百分，爸爸就说："发奖！发奖！"

然后，他从床底下掏出两只空瓶子，递给刘贵贵："去！卖了，钱算你的！"

妹妹如果得了一百分，爸爸就特意挑出两个啤酒瓶子，这样的每个"奖品"都要比发给刘贵贵的"奖品"多五分钱呢！但刘贵贵从来不和妹妹攀比，他觉得他应该让着妹妹。

刘贵贵拿着钱走在路上，心里还想着申请书的事儿。

二

瘦型猴万万没有想到，他的一句成立"砍协"的玩笑话，不但让刘贵贵辛辛苦苦地忙活了好几天，而且他本人也成了学校的风云人物。

学生们向往一切新奇的东西。再加上老鼻子和小哨儿那神乎其神的广告，成立"中国砍大山协会"的消息没出几天就传遍了学校的各个角落。各种好奇的、神秘的、怀疑的、敬佩的目光向瘦型猴扑来。

瘦型猴仿佛突然发现了自己的价值，也好像在生活中突然找到了自己的位置。于是，他假戏真做，把这件事做得越发地庄重起来。

终于有一天，在挤满人群的教室当中，他坐在一排由课桌拼成的"会议桌"前"主砍"的位子上。他的右边是老鼻子，左边是小哨儿。

这是一场学生们自发组织的"砍大山"比赛。对方是高一(四)班的三位选手。这些人根本看不起瘦型猴这些自命不凡的低年级的小孩子，决定在赛场上面教训教训瘦型猴他们。

赛场上的气氛是紧张的，但也是欢快的。对这场别开生面的比赛，各年级和各班的好事者都表示了极大的兴趣，尤其是高一

(四)班的选手中还有一位是女同学。

他们肩并肩地挤在会议桌的四周，就像各国首脑会议上的新闻记者。刘贵贵也挤在当中，他刚刚把入会申请交到瘦型猴的手上。可惜，瘦型猴还没来得及看就坐到"主砍"的位子上去了。

"首先，我们对客队能有女同胞参加比赛表示欢迎！"瘦型猴微笑着说。

全场响起一阵夹着起哄声的掌声。

"我们先商定一个比赛程序，请客队先讲。"他望着对方的"主砍"——一个仪态端正得像唐僧一样的人物，说。瘦型猴虽然年轻，但已经充分显示了他那种惊人的镇定感和高超的组织能力。

"唐僧"说："我们每个队各讲一个长故事、一个中故事、一个短故事……"

瘦型猴微微一笑，慢慢地说："首先，我要说明，我们今天不是讲故事比赛，也不是演讲比赛，而是'砍大山'比赛。'砍大山'不能过于严肃，过于完整。它最主要的特点是气氛和谐，随心所欲。神奇而不失幽默，欢乐而又不能低级……"

人们光听说瘦型猴有十二分的口才，今日一见，他不但口才出众而且见解也十分令人叹服。于是，大家又不由得鼓起掌来。

那位女选手见状毫不示弱，她冷冷地说："我希望对方不要故弄玄虚。听说，你们成立了一个什么'砍大山'协会，我们很想请教一下贵协会的宗旨是什么。你们认为，我们应该怎样比赛，又该如何决定胜负？"

全场的目光刷地一下转向瘦型猴，大家心中暗暗佩服这位伶牙俐齿的巾帼英雄。小哨儿和老鼻子也不由得将脸向瘦型猴歪过去。人群中可是急坏了刘贵贵，他不断地做手势希望老鼻子和小哨儿赶快救驾。

对方的脸上也显出几分不易觉察的得意。

瘦型猴直视前方，沉思片刻，从衣袋里拿出一张纸。刘贵贵愣了。那是他的申请书！

瘦型猴一字一顿地念道："我们'砍协'的宗旨是锻炼口才，增长知识，丰富课余文化生括，搞好和同学们的关系……"

全场呆住了，谁也没有想到瘦型猴还会准备文字材料，居然还这样详细，这样全面。接着又是一阵掌声。刘贵贵发现自己对"砍协"做出这样大的贡献，激动得眼泪都快流下来了。

瘦型猴举起一只手止住了大家的掌声，说："我们尊重客队的意见，长、中、短各'砍'一个。以掌声来判断谁胜谁负。同时我提议，由第一排的十名观众每人在纸片上写一个题目，然后由坐在对面的三位观众，从中抽出三个，我们就以这三个题目为准！"

全场响起一片叫好和赞同的声音。

这真是一个有趣的序幕。在经过一阵忙乱之后，三位同学开奖似的抽出三个题目，分别是：《时间和效率》、《酒》、《友谊和爱情》。全场哈哈大笑，选手们却都愣了。第一个和第三个题目过于严肃，而第二个题目又有些刁钻古怪，但选手们出于无奈，只好硬着头皮，试试运气。

不料，坐在唐僧旁边的那位奶油小生一样的选手却抢先开始了。他轻轻咳嗽了一声。刘贵贵据此断定，他不会"砍"出什么好东西。

"每个人都有他办事的效率，六只乌龟在一起打扑克，突然发现啤酒喝光了……"全场安静下来，大家发现这个奶油小生并不是平庸之辈。刘贵贵也和大家一样聚精会神地听下去。

突然，刘贵贵听见背后有人叫他："刘贵贵，老师叫你去一下！"

"大家凑了一些钱，让最年轻的乌龟去买啤酒，两天过去了，他还没有回来……"

"刘贵贵！"这是老师在叫他。

刘贵贵不情愿地走出教室，老师和蔼地拉着他的手，来到办公室。

"刘贵贵，有什么困难需要老师帮助吗？"

"没有！"刘贵贵不知道老师为什么无缘无故地问这个。

"有困难，一定来找我……"老师的目光从来没有像今天这样和蔼和亲切，但刘贵贵居然没有看出来，他只想急于知道那乌龟怎么样了。于是，他又摇摇头。

老师又说了许多不着边际的话。刘贵贵什么也没有记住，只觉得时间太长了……

当刘贵贵又回到"砍大山"比赛会场的时候，《时间和效率》已经"砍"完了，黑板上写着一比零。老鼻子和小哨儿一脸沮丧的神情。瘦型猴两腮上的肌肉在微微跳动。刘贵贵几乎要跳起来。

唐僧正在"砍"："有四只蚊子飞到屋子里，两只落到镜子上，另两只落到酒杯上。那两只落到镜子上的一定是女蚊子。那两只落到酒杯上的一定是男蚊子……"说完，他自己先哈哈大笑起来。可怜的他不知道这是一个老掉牙的笑话。整个教室里只有几个孤陋寡闻的人笑起来。这是唐僧绝对没有料到的。

瘦型猴这一方露出不屑的神色。刘贵贵心中又燃起了希望。

瘦型猴摇摇头，不加任何评论地说："现在，我来讲一件真事儿。我的一个同学的爸爸是酒鬼。每当他喝醉了的时候就对其他的人说：'你们这也算喝酒吗？真正能喝酒的人叫酒漏，我就是一个酒漏。有一次，我一下子喝了两瓶酒，身体根本不吸收，全都尿出来，用火柴一点，轰的一声，就燃烧起来了……'"

全场哈哈大笑起来，甚至连对方也忍不住笑起来。

　　只有刘贵贵没有笑，他觉得鼻子发酸。瘦型猴刚才说的那个酒鬼正是刘贵贵的爸爸。这是有一次刘贵贵伤心至极，无意中对瘦型猴说的。刘贵贵不会这样绘声绘色地"砍"。即使会，他也不会对别人"砍"这件事。这是他的伤心事，也是丑事。每当爸爸喝醉了，向客人们重复这种醉话的时候，刘贵贵心里总是酸酸的。刘贵贵低下头，他觉得大家正在看他。

　　黑板上的比分变成一比一。下面是《友谊与爱情》。刘贵贵什么也听不清了，只听见嗡嗡的声音。

　　当赛场上又爆发出热烈的掌声时，刘贵贵才又高兴了。"中国砍大山协会"以二比一的成绩战胜了高一(四)班。瘦型猴缓缓地从椅子上站起来，主动握握对方的手，俨然是一位得胜的将军。

　　他走到刘贵贵的身边，拍着刘贵贵的肩膀说："不错！你的申请写得不错！"接着，他又神秘地一笑，说："明天下午，你给我们'砍'一个，我们接收你为会员……"

# 三

　　刘贵贵没有来上学。

　　瘦型猴、老鼻子、小哨儿本想再和刘贵贵开开玩笑，可惜这个令人发笑的节目只好以后再看了。

　　当他们正在为昨天的成功沾沾自喜，而又为刘贵贵没能如约前来而感到遗憾的时候，刘贵贵突然出现在教室门口。

　　瘦型猴赶快和老鼻子、小哨儿坐成一排，就像考场中的考官一样。

　　"大家注意听！开始吧！"瘦型猴说。

　　刘贵贵说："我爸和我妈离婚了，我跟我爸，我妹跟我妈……其实，我爸是最喜欢我妹妹的……"刘贵贵神色黯然，十分伤心的样子。

瘦型猴一拍大腿说："好！好极了！题材虽说旧了点，但表情就跟真的一样，不错！"

其他人也一起说："没错！绝对真实！可以！太可以了！"

刘贵贵面色变得十分古怪，他几乎结巴起来："我说的是真的！"

小哨儿哈哈大笑起来："真没想到刘贵贵这小子还真有点幽默感。你当个话剧演员，准行！"

瘦型猴大声喊起来："刘贵贵，等我们再研究研究，你明天等信儿吧！打球去！"说完，瘦型猴飞快地跑到门外。

操场上，瘦型猴脱下上衣，再一次向全校同学展示了他瘦瘦的臂膀和修长的身材。他胡乱做了些准备活动，正准备投篮时，老鼻子走到他跟前，神色黯然地说："刘贵贵他爸真的和他妈离了！"

瘦型猴愣住了，他紧张的肌肉顿时松弛下来："真的？你不是胡说吧？"脸上却失去了往日的镇静。

老鼻子说："他哭着回家了！"

"上他们家去！"瘦型猴大声喊道。

小哨儿悄没声儿地走过来："人家家里这么乱，咱们去起什么哄！"

三个人都没了话。

过了好一会儿，三个人默默地走进教室。

瘦型猴从一个崭新的蓝色练习本上撕下封皮儿，在上面端端正正地写上：

"'中国砍大山协会'特批准刘贵贵为正式会员，并特聘为'砍协'秘书长。"

落款的时候，他沉思片刻，写上"你的好朋友们"。小哨儿走过来，将临时用橡皮刻好的中国"砍协"的图章，涂上红墨

水，盖了上去。

"明天上学的时候，咱们一起交给他！"瘦型猴说。

"对！我们每人送他一件礼物！"

"就这么办！"

第二天，瘦型猴的书包里鼓鼓囊囊地塞着两盒罐头和一枚兔年纪念铜币。

可是，刘贵贵没来上学。

傍晚的时候，三个人一起来到刘贵贵的家。开门的是一位中年妇女。她说："刘贵贵已经和他爸爸搬走了……"

瘦型猴发现刘贵贵和她长得很像。三位"砍协"的领导人呆呆地站在门口，一股苦涩的滋味涌上心头。

## 牵手阅读

这篇小说最早发表时，"砍大山"一词正在风行。作者敏感地注意到了这一现象所包含的幽默意味和语言潜能，借助一定的夸张手法，将它引入了少年小说的诸多创作题材中。"砍大山"原本是指一种海阔天空的神聊，当它与"协会"这一具有正式性、严肃性、组织性、纪律性等含义的词结合在一起时，一股浓浓的幽默味儿就产生了。这一幽默的意味贯穿小说的始终。随着情节的推进，一方面，"砍大山"和"砍协"的正式性和严肃性不断得到强调，另一方面，"砍"字本身的无所意指又在不断颠覆和消解这种正式性和严肃性。这使得从"砍协"的正式成立，到刘贵贵向"砍协"递交申请，再到一场正儿八经的"砍大山"比赛，都无不充满令人发笑的因子。在这出喜剧里，刘贵贵是最不起眼儿的一个角色，但他的存在既是一种重要的点缀和调节气氛的需要，更像是某种戏剧性的偶然，从而在一步步地推动着剧情的发展。作品的结局从海阔天空的虚谈落回到现实，也从带闲聊、嘲讽意味的"胡砍"回到真诚的少年情谊，继而留给我们一个落空的期待，很具有情感上的张力。

　　在本书的编选过程中，我们得到了许多师友的热情帮助。不过，虽经多方努力，仍有部分作者和译者没能联系上。部分作者及译者的稿酬及样书我社已委托中国版权保护中心代存、代转，请文章版权所有人见书后与该中心联系，联系电话：（010）68003887-5103。

**图书在版编目(CIP)数据**

成长的滋味 / 方卫平选评.—济南:明天出版社,
2009.6
(最佳少年文学读本)
ISBN 978-7-5332-6119-1

Ⅰ.成… Ⅱ.方… Ⅲ.儿童文学－作品综合集－世界
Ⅳ.I18

中国版本图书馆CIP数据核字(2009)第063299号


**最佳少年文学读本**
成长的滋味
方卫平 选评


**策划** 徐迪南
**责任编辑** 徐迪南 肖晶
**整体设计** 牛钧工作室
**插画** 孔雀工作室


出版人:刘海栖
出版发行:明天出版社
社址:山东省济南市经九路胜利大街39号
邮编:250001
http://www.sdpress.com.cn
http://www.tomorrowpub.com
各地新华书店经销
青岛海尔丰彩印刷有限公司印刷

170×240毫米 16开 17.5印张 2插页 180千字
2009年6月第1版 2009年6月第1次印刷
ISBN 978-7-5332-6119-1

定价:20.00元

如有印装质量问题,请与印刷厂联系调换。